出版说明

　　阿加莎·克里斯蒂被誉为举世公认的侦探推理小说女王。她的著作英文版销售量逾10亿册,而且还被译成百余种文字,销售量亦逾10亿册。她一生创作了80部侦探小说和短篇故事集,19部剧本,以及6部以玛丽·维斯特麦考特的笔名出版的小说。著作数量之丰仅次于莎士比亚。

　　随着克里斯蒂笔下创造出的文学史上最杰出、最受欢迎的侦探形象波洛,和以女性直觉、人性关怀见长的马普尔小姐的面世,如今克里斯蒂这个名字其象征意义几近等同于"侦探推理小说"。

　　阿加莎·克里斯蒂的第一部小说《斯泰尔斯庄园奇案》写于第一次世界大战末,战时她担任志愿救护队员。在这部小说中她塑造了一个可爱的小个子比利时侦探赫尔克里·波洛,成为继福尔摩斯之后侦探小说中最受读者欢迎的侦探形象。《斯泰尔斯庄园奇案》经过数次退稿后,最终于1920年由博得利·黑德出版公司出版。

　　之后,阿加莎·克里斯蒂的侦探推理小说创作一发而不可收,平均每年创作一部小说。1926年,阿加莎·克里斯蒂写出了自己的成名作《罗杰疑案》(又译作《罗杰·艾克罗伊德谋杀案》)。这是她第一部由柯林斯出版公司出版的小说,开创了作为作家的她与出版商的合作关系，并一直持续了50年，共出版70余部著作。《罗杰疑案》也是阿加莎·克里斯蒂第一部被改编成剧本的小说，以Alibi的剧名在伦敦西区成功上演。1952年她最著名的剧本《捕鼠器》被搬上舞台，此后连续上演，时间之长久，创下了世界戏剧史上空前的纪录。

1971年，阿加莎·克里斯蒂获得英国女王册封的女爵士封号。1976年，她以85岁高龄永别了热爱她的人们。此后，又有她的许多著作出版，其中包括畅销小说《沉睡的谋杀案》（又译《神秘的别墅》、《死灰复燃》）。之后，她的自传和短篇故事集《马普尔小姐探案》、《神秘的第三者》、《灯光依旧》相继出版。1998年，她的剧本《黑咖啡》被查尔斯·奥斯本改编为小说。

阿加莎·克里斯蒂的侦探推理小说，上世纪末在国内曾陆续有过部分出版，但并不完整且目前市面上已难寻踪迹。鉴于这种状况，我们将于近期陆续推出最新版本的"阿加莎·克里斯蒂侦探推理系列"，以下两个特点使其显著区别于以往旧译本，其一：收录相对完整，包括经全球评选公认的阿加莎·克里斯蒂侦探推理小说代表作品；其二：根据时代的发展，对原有译文全部重新整理，使之更加贴近于读者的阅读习惯。愿我们的这些努力，能使这套"阿加莎·克里斯蒂侦探推理系列"成为喜爱她的读者们所追寻的珍藏版本。

人民文学出版社编辑部

2006年5月

阿加莎·克里斯蒂
侦探推理系列

the Body in the Library

藏书室女尸之谜

[英]阿加莎·克里斯蒂 著　任林静 译

人民文学出版社

著作权合同登记号图字 01－2007－1307

Agatha Christie
THE BODY IN THE LIBRARY

据 HarperCollins Publishers 2002 版译出

图书在版编目（CIP）数据

藏书室女尸之谜/（英）克里斯蒂 著；任林静 译.
－北京：人民文学出版社，2007
ISBN 978－7－02－006108－2

Ⅰ.藏…　Ⅱ.①克…②任…　Ⅲ.侦探小说－英国－
现代　Ⅳ.I561.45

中国版本图书馆 CIP 数据核字（2007）第 045218 号

责任编辑：姚翠丽
责任印制：周小滨

藏书室女尸之谜
Cang Shu Shi Nü Shi Zhi Mi
〔英〕阿加莎·克里斯蒂　著
任林静　译

人民文学出版社出版
http://www.rw-cn.com
北京市朝内大街 166 号　邮编：100705
北京友谊印刷有限公司印刷　新华书店经销
字数 130 千字　开本 850×1092 毫米　1/32　印张 7
2007 年 4 月北京第 1 版　　2007 年 4 月第 1 次印刷
印数 1－20000
ISBN 978－7－02－006108－2
定价 17.00 元

如有印装质量问题，请与本社图书销售中心调换。电话：01065233595

献给我的朋友——奶奶

前　　言

　　有些陈腐的词语只属于某些类型的小说。比如情节剧里的"秃头坏男爵",侦探故事里的"藏书室里的尸体"。多年来我一直试图为人们熟知的主题作一些适当的改变。我为自己订立了条件:书里描写的藏书室必须属于非常正统、传统的那一类,而尸体则必须让人觉得悱恻不定、触目惊心。遵循这些原则,几年来出现在笔记本上的只有短短几行文字。后来我在海边一家时髦大饭店度夏的几日中注意到餐厅桌旁的一家人:一位瘸腿的长者坐在轮椅上,周围是他家里年少的晚辈。幸运的是第二天他们就离开了,我得以凭借自己的想象任意挥洒。当有人问我"你书中的人物是真实的吗?"答案是我不可能写我认识的人,或者和我交谈过的人,甚至听说过的人!出于某种原因他们在我眼里没血没肉,然而我却能赋予一个和我毫不相干的人以各种特性和想象。

于是一个上了年纪的瘸腿男人成了故事的核心，而我的马普尔小姐的老朋友——上校及班特里夫人则恰好拥有那样的藏书室。我像写菜谱一样给我的故事添加了以下配料：一个职业网球手、一个年轻的舞女、一位艺术家、一个女童子军、一个舞女领班等等，最后把他们全部以马普尔小姐的点菜方式奉献给大家。

阿加莎·克里斯蒂

第一章

1

班特里太太在做梦……她栽种的香豌豆在花展上获得了一等奖。身穿白色法衣黑色长袍的教区牧师正在教堂颁奖,这时他的妻子身穿泳装走过;然而这种在现实生活里绝不允许的事却没有引起整个教区的不满,因为这毕竟是梦。

班特里太太深深沉醉于梦中。这些清晨的梦通常能给她带来无限的愉悦,直到有人送来早茶。朦胧之中她感觉到了和以往一样清早出现在家里的嘈杂声。一个女佣在楼上拉窗帘时帘环发出的声音,另一个女佣在屋外走廊扫地和倒簸箕的声音,还有远处大门门栓被拉开时发出的声音。

新的一天开始了。她要尽可能从花展中获得快乐,因为它越来越像梦中的情景……

有人打开了楼下客厅的木制大百叶窗,她仿佛听见了,又好像没有听见。这种小心翼翼、轻手轻脚弄出的声响一般要持续半个小时,但并不扰人,因为它听起来太熟悉了。最后将会从过道传来轻快的、有节制的脚步声,印花布女服细微的摩擦声,茶盘被放在门外桌上时茶具发出的柔和的丁当声以及玛丽进屋拉窗帘之前轻轻的敲门声。

梦中的班特里太太皱了皱眉。她感到一丝不安,有点不对头。过道里的脚步声太匆忙、太早了。她的耳朵无意识地寻找瓷器的声音,可没有找到。

有人敲门。沉湎于梦中的班特里太太随口说:"进来。"门开了,现在她可以听到窗帘被拉开时的声音了。

可是没有帘环的碰撞声。从暗淡的绿色光线里传来了玛丽歇斯底里的声音:"哦,夫人,哦,夫人,藏书室里有个死人!"

随着一阵歇斯底里的抽噎,她冲了出去。

2

班特里太太从床上坐起。

或者是她的梦出了偏差,或者就是——就是玛丽确实跑进来说(太难以置信了!太不可思议了!)藏书室里有个死人!

"不可能,"班特里太太自言自语,"我一定是在做梦。"

她嘴里这样说,心里却越来越觉得这不是梦,那个自制力一贯很强的玛丽确实说了这些让人难以相信的话。

班特里太太想了一会儿,随后急切地用肘顶了顶睡在身旁的丈夫。

班特里上校嘴里咕哝着什么,翻了一下身。

"阿瑟,醒醒。你听见她说的吗?"

"很有可能,"班特里上校喃喃,"多利,我非常同意你说的。"随即又睡着了。

班特里太太使劲摇晃他。

"你听着。玛丽刚才进来说藏书室里有个死人。"

"唔,你说什么?"

"藏书室里有个死人。"

"谁说的?"

"玛丽。"

班特里上校定了定神,接着说:

"别胡扯了,老伴。你做梦了。"

"我没做梦。开始我也以为是做梦。但这不是梦。真的,她是这样说的。"

"玛丽说藏书室里有个死人?"

"是的。"

"但这不可能。"班特里上校说。

"对,对,我想也不可能。"班特里太太犹豫地说。

她振作一下,又说:

"可是为什么玛丽说有呢?"

"她不可能这么说。"

"她说了。"

"这一定是你想象出来的。"

"不是。"

班特里上校此时已完全清醒，他要把这件事弄个明白，于是心平气和地说：

"多利，你刚才是在做梦，就是这么回事。都是你读过的侦探小说《折断的火柴棒》在作怪。某个埃奇巴斯顿勋爵在自家藏书室的炉前地毯上发现了一具金发美女的尸体。小说里描述的藏书室总有尸体。在现实生活里我从未碰到过一例。"

"也许这一次你碰到了，"班特里太太说，"不管怎样，阿瑟，你得起来看看。"

"可是，多利，这一定是个梦。人刚睡醒时梦总是显得很真实，于是就当它是真的。"

"我刚才做的梦不是这样的——是一个身穿泳装的女人，她是牧师的妻子——就是这一类的吧。"

班特里太太突然精神抖擞，她跳下床，拉开窗帘。秋日晴朗的光线立刻洒满了房间。

"这不是梦，"班特里太太坚决地说，"阿瑟，快起来，下楼去看看。"

"你让我下楼去问藏书室里是否有个死人？别人不认为我有毛病才怪呢。"

"你什么也不必问，"班特里太太说，"如果真的有死人，马上就会有人告诉你。你不必说一句话。或许玛丽真的有毛病，认为她看到了根本不存在的东西。"

班特里上校不满地披上睡袍走出了房间。他穿过过道,走下楼梯。楼梯口下挤着一小群佣人;其中有些在啜泣。

男管家肃然走上前。

"先生,您来了太好了。我已传话在您来之前什么都不许做。现在可以报警吗?"

"为什么事报警?"

管家回头朝正伏在厨师肩头歇斯底里地哭泣的高个年轻女子投去责备的目光。

"先生,我以为玛丽已经告诉您了。她说她已经告诉您了。"

玛丽上气不接下气地说:

"我脑子全乱了,不知道自己说了什么。我害怕极了,腿发软,心发慌。看见那副模样——哦,哦,哦!"

说着她又倒在埃克尔斯夫人身上,后者忙不迭地说:"好啦,好啦。没事了。"

"玛丽自然有些慌乱,先生。因为是她第一个看到那可怕的一幕。"管家解释道:"她像往常一样进藏书室拉窗帘,然后……差点被尸体绊倒。"

"你是说,"班特里上校追问,"在我的藏书室里有个死人——我的藏书室?"

管家咳嗽了一声。

"可能是的,先生,您最好亲自去看看。"

3

"喂,喂,喂,这是警察局。是的,您是哪位?"

帕尔克警士一手握着听筒,一手系着上衣的扣子。

"嗯,嗯,戈辛顿宅邸。什么事?哦,早上好,先生。"帕尔克警士的口气和先前的稍微有些不同。当他弄明白对方是警察局活动的慷慨资助人和当地的行政官员,说话时少了些不耐烦的官腔。

"什么事,先生?我能为您效劳吗?对不起,先生,我没完全听明白——您是说尸体?您是说——好的,听您的。是这样,先生——您是说您不认识的年轻女子?好的,先生。好的,您全都交给我吧。"

帕尔克警士放回听筒,口里吹出了一声长长的口哨,接着他去拨上司的电话。

帕尔克夫人从厨房探出身,带出了一股令人开胃的煎咸猪肉的味道。

"出了什么事?"

"你曾听过的最离奇的事,"她的丈夫回答,"戈辛顿府上发现了一具年轻女人的尸体。在上校的藏书室。"

"谋杀?"

"他说是勒死的。"

"她是谁?"

"上校说他根本不认识她。"

"那她在他的藏书室里干什么?"

帕尔克警士责备地瞥了她一眼,示意她安静,然后对着电话听筒严肃地说:

"是斯莱克警督吗?我是帕尔克警士。刚有人报案说在今天早上七点十五分发现了一具年轻女人的尸体……"

4

电话铃响时,马普尔小姐正在穿衣。铃声让她有点不安。通常这个时候没有人会给她打电话。她是一个拘谨的老处女,生活有条不紊,预期之外的电话会让她揣摩半天。

"我的天,"马普尔小姐说,茫然地看着电话机,"会是谁呢?"

在乡下九点至九点半是街坊邻居间相互致电问好的时间。大家在这个时候互相传递一天里的安排、邀请等等。如果猪肉交易出现了危机,大家知道九点前屠夫就会打来电话。这一天中可能还会有别的电话,但是夜晚九点半以后打电话被认为是不礼貌的行为。马普尔小姐有个当作家的侄子名叫雷蒙德·韦斯特,其行踪飘忽不定,曾在最让人难以接受的时间打电话,有一次是在午夜前十分钟。但是不管他性情多么古怪,他也不属于早起的那一类人。无论是他还是马普尔小姐认识的任何人都不会在早上八点以前来电话。准确地说是差一刻八点。

即使是电报也太早了,因为邮局八点钟才开门。

"一定是拨错号了。"马普尔小姐断定。

于是,她走近铃声急切的电话机,拿起听筒。"哪位?"她问道。

"简,是你吗?"

马普尔小姐吃了一惊。

"是我,我是简。你起得真早,多利。"

从电话那端传来了班特里太太急促不安的声音。

"发生了最可怕的事。"

"哦,天啊。"

"我们刚在藏书室里发现了一具尸体。"

马普尔小姐以为她的朋友神经错乱了。

"你们发现了什么?"

"我理解,没有人会相信。我也以为这种事只会发生在书里。今早我和阿瑟争论了好长时间,他才同意下楼去看看。"

马普尔小姐尽力保持镇定。她屏住气问:"那是谁的尸体?"

"是个金发女子。一位漂亮的金发女子——又和书里的一样。我们以前都没见过她。她就躺在藏书室里,已经死了。你必须马上过来。"

"你让我过去?"

"是的,我马上派车来接你。"

马普尔小姐主意不定地说:

"当然可以,亲爱的。如果你需要我的安慰。"

"哦,我不需要安慰。我知道你对查验尸体这种事很在行。"

"哦,不行,不行。我的小小成功主要都是理论上的。"

"可是你特别擅长侦破谋杀案。瞧,她是被谋杀的,被勒死的。我想既然谋杀案发生在自己家里,何不自己侦破为快。希望你明白我的意思。这就是我请你过来的原因。我想请你帮我找出凶手,解开谜底。这确实让人兴奋,是不是?"

"喔,这个当然,亲爱的,如果我能帮上忙。"

"太好了! 现在阿瑟不好对付。他似乎认为我根本不应该对这件事感兴趣。当然,我明白这一切确实让人感到难过。可话说回来,我不认识那个女子——她看上去一点也不真实,你亲眼看过以后才会明白我的意思。"

5

马普尔小姐从班特里家的车里走下来,司机为她扶住打开的车门,她有点气喘。

班特里上校出现在台阶上,他看上去有点吃惊。

"马普尔小姐——噢,见到您很高兴。"

"您妻子给我打了电话。"马普尔小姐解释说。

"太好了,太好了。应该有人陪陪她,不然她会崩溃的。她目前看上去还不错,可你知道这种事——"

这时,班特里太太出现了,她大声说:

"阿瑟,回餐厅吃早饭。你的熏肉要凉了。"

"我以为是警督到了。"班特里上校解释说。

"他一会儿就到,"班特里太太说,"你必须先吃早饭。必须吃。"

"你也得吃。最好进来吃点东西,多利。"

"我就来,"班特里太太说,"你先进去,阿瑟。"

班特里上校犹如一只执拗的母鸡被嘘嘘赶进了餐厅。

"好啦!"班特里太太带着胜利的口气说,"快来。"

她带路沿着长长的走廊快步向房子的东头走去。警士帕尔克站立在藏书室门外。他不客气地拦住了班特里太太。

"夫人,恐怕这里不允许任何人进去。这是警督的命令。"

"行了,帕尔克,"班特里太太说,"你很熟悉马普尔小姐。"

帕尔克警士不否认他认识马普尔小姐。

"必须让她看看尸体,"班特里太太说,"别犯傻了,帕尔克。这毕竟是我的家,对不对?"

帕尔克警士让步了。他一贯屈从于上等人。不过他想决不能让警督知道这件事。

"不许碰任何东西。"他警告两位女士。

"当然。"班特里太太不耐烦地说,"这个我们懂。你愿意的话可以跟进来看。"

帕尔克警士只好同意了。他确实想跟进来。

班特里太太凯旋般地带着她的朋友走到了藏书室的另一边,那里有一个老式的大壁炉。接着她戏剧高潮般地说:"在那!"

马普尔小姐这时才明白她的朋友所说的那个死去的女子不真实是什么意思。藏书室极富主人的特色。不仅大,而且陈旧凌乱:中间部位凹陷的扶手椅、摆在大写字台上的烟斗、书籍和财产文件。墙上挂有一两幅很不错的古旧的家人画像,还有几幅粗糙的维多利亚风格的水彩画以及一些自以为乐的狩猎场景。墙角放着一个紫色大花瓶。整个房间光线幽暗、色彩柔和、布置随意,显示出主人对它的熟悉及它的年代久远,还使人联想到种种传统。

炉前熊皮地毯上横躺着什么东西,新奇、裸露、夸张。

这是个艳丽的女子。她的脸旁散落着精致卷曲的不自然的金发,消瘦的身体穿着一件露背镶有亮晶晶金属片的白色缎子晚礼服。蓝色肿胀的脸浓妆艳抹,香粉堆起,看上去稀奇古怪;扭曲的面颊上敷着厚厚的油膏,猩红的嘴唇看上去像一道深深的切口。手指甲和露在廉价的银色凉鞋外的脚指甲上涂着血红色的指甲油。这是一个低劣、俗气、花哨的形象——和班特里上校藏书室的那种殷实老式的格调格格不入。

班特里太太小声说：

"你明白我的意思吗？一点也不真实。"

她身旁的老妇人点点头，若有所思地注视着这具蜷曲的尸体。

最后她轻声说：

"她很年轻。"

"是——是——我想是的。"班特里太太有些吃惊——仿佛有了新的发现。

马普尔小姐弯下腰。她没有碰那女子。她看了看那女子紧抓衣襟的手指。它们像是在为生命作最后的狂乱挣扎。

外面传来汽车碾在砾石上的声音。帕尔克警士急忙说："警督来了……"

确实如他所相信的，上层人士不会令人失望，班特里太太立刻向门口走去，马普尔小姐紧跟在后。班特里太太说：

"别紧张，帕尔克。"

帕尔克警士松了一口气。

6

班特里上校就着一口咖啡匆匆吞下最后一片烤面包

和果酱,然后急急忙忙赶到大厅,他看见梅尔切特上校正在下车,立刻就松了口气。站在一旁随时待命的是斯莱克警督。梅尔切特上校是郡警察局长,班特里上校的朋友。他从来不喜欢斯莱克——一个精力充沛、华而不实的人,忙碌中对任何他认为不重要的人物都不屑一顾。

"早上好,班特里。"警察局长说,"我想我最好亲自来。这件事似乎非同一般。"

"这——这——"班特里上校尽力表白。"不可思议——难以置信!"

"你知道这女子是谁吗?"

"一点也不知道。我有生以来从未见过她。"

"管家知道些什么?"斯莱克警督问。

"洛里默和我一样震惊。"

"啊,是吗?"斯莱克警督说。

班特里上校说:

"梅尔切特,想要吃点什么? 餐厅里有早点。"

"不用了,不用了——最好马上开始工作。海多克这时候该到了——啊,他来了。"又一辆车停在屋前,从车上走下来的是高个子、宽肩膀的海多克警医。接着从另一辆警车上下来两个便衣,其中一个手里拿着照相机。

"一切就绪了吗?"警察局长说,"很好。我们进去吧。斯莱克告诉我在藏书室。"

班特里上校哼了一声:

"真不可思议! 你知道今早我妻子坚持说女佣上来说藏书室里有个死人。我怎么都不相信。"

"是的,这个我完全能够理解。希望您夫人没有被这一切搅得太心烦意乱。"

"她表现棒极了——真的很棒。她把马普尔小姐从乡下请来了。"

"马普尔小姐?"警察局长愣了一下,"她为什么请她来?"

"哦,一个女人需要另一个女人吧?"

梅尔切特上校轻声笑了笑:

"我看,您夫人想让业余侦探试试手。马普尔小姐是本地优秀的侦探。有一次她把我们都弄服了。是不是,斯莱克?"

警督斯莱克说:"那回不一样。"

"怎么不一样?"

"那是一桩地方案,长官。这老小姐对乡下的一切了如指掌,这一点都不假。但这一次她是英雄无用武之地了。"

梅尔切特漠然地说:"斯莱克,这回你自己怎么样还不知道呢。"

"等着瞧吧,长官。用不了多久我就能查个水落石出。"

7

班特里太太和马普尔小姐在餐厅里吃早餐。

招待完客人以后,班特里太太急不可耐地问:

"你怎么看,简?"

马普尔小姐抬起头,她看上去有点迷惑不解。

班特里太太满怀希望地问:

"难道不能使你联想到任何事?"

要知道马普尔小姐之所以成名,是因为她能够把发生在乡下的小事和更重大的问题联系起来而使后者得以解决。

"不能,"马普尔小姐边想边说,"想不起来——眼下不能。我刚才只联想起一点点有关切蒂夫人最小的孩子——伊迪——但我想那只是因为这可怜的小女孩喜欢咬指甲,她的前排牙齿有点往外突出。就这些。还有,当然,"马普尔小姐继续说,"伊迪还喜欢穿我称之为便宜的时髦货。"

"你是指她的衣服?"班特里太太说。

"没错,花哨俗气的缎子——质量极差。"

班特里太太说:

"我知道。一定是从一家廉价小商店里购买的。"她满怀希望继续问:"切蒂夫人的伊迪表现怎样?"

"刚换了第二份工作——我想她的表现相当不错。"

班特里太太有点失望。看来乡下相似的人和事似乎不会给人多大希望。

"我不明白的是,"班特里太太说,"她在阿瑟的藏书室里干什么。帕尔克告诉我窗户被撬了。也许她和同伙进屋盗窃,然后发生争执——可这似乎太荒唐,是不是?"

"她的打扮一点不像要进屋盗窃。"马普尔小姐若有所思地说。

"是不像,像是去跳舞——或者参加什么聚会。可是这里根本没有什么聚会——这附近也没有。"

"是,不太对头。"马普尔小姐疑惑地说。

班特里太太脱口而出:

"简,你心里有谱。"

"好吧,我刚才在想——"

"说下去?"

"巴兹尔·布莱克。"

班特里太太冲动地喊到:"哦,绝对不会!"接着她进一步解释,"我认识他的母亲。"

她们相互望着。

马普尔小姐叹了口气,摇了摇头。

"我完全理解你对这件事的感受。"

"塞利纳·布莱克是你能想象出的最好的女人。她的花坛简直太美了——美得让我嫉妒。她对她的花草非常慷慨大方。"

马普尔小姐没有顾及这些体谅布莱克夫人的话,她说:

"虽然如此,你知道近来流言蜚语不少。"

"哦,我知道——我知道。现在一有人提起巴兹尔·布莱克,阿瑟就气得脸色发青。他曾对阿瑟极为无礼,从那以后阿瑟不愿听一句有关他的好话。他老是愚蠢地以轻蔑的口气谈起现在的那些男孩——他们嘲笑人们维护学校或英帝国或诸如此类。当然还有他穿的那些衣服！

"有人说，"班特里太太继续说，"在乡下穿什么都没关系。我从未听过这样的胡言乱语。就是在乡下人们才注意呢。"她停了一下，接着怀念地说："他小时侯是个非常可爱的孩子。"

"上个星期天报上登了一张杀害切维奥特的凶手小时侯的照片，非常可爱。"马普尔小姐说。

"噢，可是，简，你不会认为他是——"

"不，不，亲爱的。我根本不是那个意思。这样下结论太唐突。我只是想弄清这女子在这里的原委。圣玛丽·米德不是发生这种事的地方。还有，在我看来，惟一可能的解释就是巴兹尔·布莱克。他的确举行聚会。参加聚会的人来自伦敦、电影制片厂——你记得去年七月吗？叫喊声和唱歌声——最可怕的噪音——恐怕每个人都酩酊大醉——还有第二天早上让人看后难以置信的乱糟糟和那些碎玻璃碴——贝里老妇人告诉我——一个年轻女子睡在浴室里，身上什么也没穿。"

班特里太太宽容地说：

"我想他们是电影界的人。"

"很有可能。还有——我想你听说了——最近几个周末他带来了一个年轻女子——一个头发呈淡金黄色的女子。"

班特里太太叫道：

"你想不会是这个女子吧？"

"嗯——不知道。我从未在近处见过她——只在她

上下车时见过——有一次我见她在屋前花园里晒太阳,身上只穿着短裤和胸罩。我没有真正看过她的脸。这些女孩都化妆,头发和指甲看上去一个样。"

"你说的不错,不过也有可能。简,这是一条线索。"

第二章

1

梅尔切特上校和班特里上校也在讨论这条线索。

警察局长看过尸体后指令手下的人开始常规处理，然后和房子的主人退到房子另一头的书房。

梅尔切特上校看上去性情暴躁，他喜欢扯他那又红又短的髭须。眼下他又扯上了，同时眼睛困惑地斜视着对方。最后，他厉声说：

"喂，班特里，这件事我们必须搞清楚。你真的不认识这女人吗？"

对方的回答似连珠炮般，然而警察局长打断了他的话。

"行了，行了，老兄。这样说吧，不过这也许会让你太难堪。一个已婚又爱妻子的男人，不过只在我们俩之间说说——如果你和这女人之间有什么瓜葛，最好马上承认。你想隐瞒事实这很自然——我能理解。可是不行，这是谋杀案，真相总会大白的。该死，我不是说你勒死了那女人——你不会干这种事——这一点我清楚。但是，她毕竟在这里——在这座房子里。也许她赶来要见你，有个家伙尾随而至并杀了她。这是可能的。你明白我的意思吗？"

"真该死。梅尔切特，我告诉你我一生从未见过这女子！我不是那号人。"

"好啦，我不该责备你，世界上最好的人。可要是这样——问题是，她在这干什么？她不是这一带的人——这一点很清楚。"

"这件事完全是场噩梦。"房子的主人怒气冲冲。

"问题是，老兄，她在你的藏书室里干什么？"

"我怎么知道？我又没有请她来。"

"没有，没有。可她还是来了。好像她想见你。你有没有收到过奇怪的信或别的什么东西？"

"没有。"

梅尔切特上校委婉地问：

"昨晚你干什么了？"

"我参加了保守党联合会的聚会。九点钟，在马奇·本哈姆。"

"你什么时候到家的？"

"离开马奇·本哈姆时刚过十点——回来的路上出了点麻烦，换了个轮胎。差一刻十二点到家的。"

"你没有进藏书室？"

"没有。"

"可惜。"

"我很累。直接上床睡觉了。"

"有人等候你吗?"

"没有。我总是随身带着前门钥匙。洛里默每天十一点睡觉,除非我给他留下话。"

"藏书室的门是谁关的?"

"洛里默。通常在这个季节大约是七点半。"

"晚间他还会进去吗?"

"我不在时他不会进去。他把威士忌酒和酒杯用托盘放在大厅里。"

"是这样。那您夫人呢?"

"不知道。我回来时她早睡了。昨晚她有可能去过藏书室或客厅。我忘了问她。"

"好吧,一切很快都会弄清楚的。你想会有某个佣人牵涉进去吗?"

班特里上校摇摇头。

"不可能。他们都是正派人,在我这儿干了多年了。"

梅尔切特表示同意。

"是的,他们不大可能牵扯进去。看上去这女子好像是从城里来的——有可能和某个年轻小伙子在一起。可他们为什么要破窗而入——"

班特里打断了他的话。

"一定是从伦敦来的,这还差不多。我这里没有什么活动——至少——"

"噢,怎么回事?"

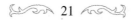

"我向你保证!"班特里上校嚷道。"巴兹尔·布莱克!"

"他是谁?"

"一个电影界的年轻人,这小子坏透了。可我妻子总是替他说话,因为她曾和他的母亲一同上学读书。整个一个颓废无用、傲慢无礼的家伙!该从后面踢他一脚!他住在兰夏姆路的那幢小屋里——非常时髦的玩意儿。他常在家里举行聚会,尖叫声,喧闹的人群,他还带女孩回来过周末。"

"女孩?"

"没错。上星期就有一个——那种金黄色头发的女子——"

上校连连点头。

"你是说一个金黄色头发的女子?"梅尔切特若有所思地问。

"是的,梅尔切特,你想不会——"

警察局长兴致勃勃地说:

"有这个可能。这至少解释了这种女孩来圣玛丽·米德的原因。我去和这个年轻人谈谈——布雷德——布莱克——你刚才说他叫什么?"

"布莱克。巴兹尔·布莱克。"

"他会在家吗?"

"让我想想。今天是星期几——星期六? 通常是在星期六早上某个时间在。"

梅尔切特冷冷一笑:

"看我们能不能找到他。"

2

巴兹尔·布莱克的小屋隐蔽在树林中,里面现代化的便利设施一应俱全。邮政局和小屋的建造人威廉·布克称它为"查兹沃思";巴兹尔和他的朋友管它叫"古典杰作",而对整个圣玛丽·米德村的人来说则是"布克先生的新屋"。

严格地说,这幢小屋离村庄只有四分之一英里多一点的距离,坐落在胆识过人的布克先生新购买的一片房地产开发区,就在蓝野猪旅馆那边。房屋的正面对着一条丝毫未受到破坏的乡间小道,沿着这条小道大约一英里远处就是戈辛顿宅邸。

电影明星买下布克先生的新屋的消息在圣玛丽·米德传开后引起了人们极大的兴趣,他们期望看到这个村里传奇人物的出现,就外表而言,巴兹尔·布莱克让他们大开眼界。可是实情渐渐传出。巴兹尔·布莱克根本不是电影明星——连电影演员都不是。他资历很浅,在英国新时代电影制作中心的总部莱姆维尔电影制片厂负责布景装饰的人中排名大约是第十五。乡村少女顿时没了兴趣,吹毛求疵的大龄女们对巴兹尔·布莱克的生活方式极为反感,只有蓝野猪旅馆的房东继续对巴兹尔和他

的朋友充满热情。自从这位年轻人来到这里,蓝野猪旅
馆的收入增加了。

警车停在布克先生梦幻之屋那用带皮树枝做成的变
形的门前。梅尔切特上校厌恶地看了一眼装饰过分的查
兹沃思,然后走到前门,使劲地敲响门环。

出乎他的预料,门很快开了。一个留着黑色长发,身
穿蓝色衬衫和橘色灯芯绒长裤的年轻人厉声问道:"什么
事?"

"你是巴兹尔·布莱克先生吗?"

"当然是。"

"如果可以的话,布莱克先生,我很想和你谈一谈。"

"你是谁?"

"我是梅尔切特上校,郡警察局长。"

布莱克先生态度傲慢地说:

"不会吧;真是太有趣了!"

梅尔切特上校跟在后面走了进去,这时他明白了班
特里上校的话。虽然很不舒服,可他克制住自己,尽量用
愉快的口气说:

"布莱克先生,你起得很早。"

"一点不早。我还没有上床呢。"

"真的?"

"我想你来这不是要调查我何时上床睡觉吧——如
果是,那太浪费郡里的时间和金钱了。你到底想和我谈
什么?"

梅尔切特上校清清喉咙。

"布莱克先生,我听说上个周末你这里来过一位客人
——一位——嗯——年轻的金发女子。"

巴兹尔·布莱克瞪大眼睛,他仰起头,放声大笑。

"乡下的老猫们向你通报了我的情况?关于我的道
德品行?见鬼,道德观念不是警察管的事。这个你明
白。"

"正如你说的,"梅尔切特冷冰冰地说,"你的德行不
关我的事。我来找你是因为我们发现了一个金发女子的
尸体——呃——外貌有点奇特的女子——被谋杀了。"

"真的!"布莱克盯着他。"在哪里?"

"在戈辛顿宅邸的藏书室里。"

"戈辛顿?老班特里家?唷,真有趣。老班特里!那
个卑鄙的老家伙!"

梅尔切特上校的脸涨得通红。他对着眼前愈加兴高
采烈的年轻人厉声说:"先生,请注意你的言辞。我来这
里是想知道你是否能就这件事提供任何线索。"

"你来这是想问我们这里是否丢失了一位金发女郎?
是这样吗?哎哟——哎呀,哎呀,哎呀,这算什么事呀?"

随着一声尖厉的刹车声,一辆车停在了外面。从车
里匆匆走下来一位身穿黑白色宽大睡衣的年轻女子。她
嘴唇绯红,睫毛涂得很黑,头发呈淡金黄色。她大步走到
门口,猛地推开门,生气地嚷着:

"你为什么离开我,你这个畜生?"

"你问得好!为什么我不该离开你?我让你走,你不
听。"

"为什么你叫我走我就得走？我当时玩得正高兴。"

"没错——和那个猥琐的畜生罗森堡。你知道他是什么人。"

"你是嫉妒，没别的。"

"不要抬高自己。我讨厌看见我喜欢的女孩喝酒时不能自控而让一个令人厌恶的中欧人领着转悠。"

"胡说八道。你自己才喝得酩酊大醉——和那个黑头发的西班牙婊子纠缠不清。"

"我带你参加聚会，是因为我想让你懂得规矩。"

"我不愿听别人的指挥，就这样。你说我们先去参加聚会然后再回这里。在我不想走之前我是不会走的。"

"你不走——干脆我走。我想回这里就回来了。我从不闲待在什么地方等一个傻女人。"

"亲爱的，你真是个有教养的人！"

"你跟着我好像一直都挺不错。"

"我早就想告诉你我对你的看法！"

"如果你认为你可以把我差来遣去，我的姑娘，你错了！"

"如果你认为你可以把我呼来唤去，你再试试！"

他俩怒气冲天，似有一触即发之势。

梅尔切特上校这时候抓住机会，大声地清清嗓子。

巴兹尔·布莱克立刻转过身来。

"你好，我忘了你在。你该走了吧，是不是？我来介绍一下——这是黛娜·李——这是郡警察局的强硬保守分子。喏，上校，既然你看见我的金发女人还活着而且安然无恙,也许你应该着手处理有关老班特里的小女人之事。再见!"

梅尔切特上校说:

"我建议你嘴巴放干净点,年轻人,不然你就会自找麻烦。"他满脸通红、怒气冲冲地走了出去。

第三章

1

梅尔切特上校在马奇·本哈姆他的办公室里认真翻阅下属送来的报告："……情况很清楚,长官,"斯莱克警督在总结,"班特里太太晚饭后进了藏书室,她将近十点钟上床睡觉。离开藏书室时她关了灯,这之后大概没有别人进去过。佣人们十点半上床休息,洛里默把酒杯放在大厅后在差一刻十一点回到自己的屋里。除了第三个女佣没有人听到任何不寻常的声音,而她却听见了那么多!呻吟声、令人毛骨悚然的喊声、不祥的脚步声,天知道还有什么声音。和她同住一屋的第二个女佣却说对方整晚睡得很熟,没出一点声音。都是这些爱编故事的人给我们带来这么多的麻烦。"

"被撬开的窗户是怎么回事?"

"西蒙斯说这不是职业扒手干的;用的是普通凿子——一般的那种——不会弄出多大声响。按道理房屋四周应该有把凿子,可谁也找不到。不过这一点也没有什么可奇怪的。"

"佣人中有人知道点什么吗?"

"没有,长官。我想他们不知道。他们好像都很吃惊而且慌乱。我曾怀疑洛里默——他当时缄默不语——如果您明白我这话的意思——但是现在我看这里面也没有什么问题。"

梅尔切特点点头。洛里默的缄默并不令人奇怪。经过精力充沛的斯莱克警督讯问过后的人表现经常是这样。

门开了,海多克警医走了进来。

"我想我应该进来汇报一下大致的情况。"

"对,对,来得正好。有什么情况?"

"没多少情况。和你的看法一致。窒息而死。用的是她本人的缎子腰带,绕过脖子,从后面勒死的。做起来轻而易举,费不了多大劲——也就是说,在那女子毫无防备的情况下。没有搏斗的痕迹。"

"死亡时间呢?"

"大约是在晚上十点和午夜之间。"

"不能更具体点吗?"

海多克略微一笑,摇了摇头。

"我不会拿我的职业名声冒险。不早于夜晚十点,不晚于午夜十二点。"

"你自己倾向于哪个时间?"

"那要看情况而定。当时壁炉是燃着的——室内温暖——这都会延缓尸体的僵硬。"

"关于她还有什么可说的吗?"

"没多少。她很年轻——我看大概十七或十八岁。有些方面还很不成熟,但肌肉发育很好,很健康。顺便说一句,她的处女膜完好无损。"

警医点了一下头,走了出去。

梅尔切特问警督:

"你肯定在戈辛顿没有人见过她?"

"这一点佣人们很肯定,而且对此愤愤不平。他们说如果在附近见过她,他们是不会忘的。"

"我想也是,"梅尔切特说,"任何那种类型的人只要在这方圆一英里的范围内出现都不会让人忘记。看一看布莱克的那个年轻女人就知道。"

"可惜不是她,"斯莱克说,"不然就有头绪了。"

"我觉得这个女子一定是从伦敦来的。"警察局长沉思地说,"在这附近恐怕找不到任何线索。如果是这样,我们最好向伦敦警察厅报案。这个案子应该由他们侦破,不是我们。"

"她一定是有原因才来这里的。"斯莱克说。他试着加上一句:"班特里上校和太太一定知道点什么——当然,我知道他们是您的朋友,长官——"

梅尔切特上校狠狠瞪了他一眼,严厉地说:

"你可以放心,一切可能性我都会考虑在内。每一种可能。"他接着说:"我想你已看过失踪人员名单了?"

斯莱克点点头。他拿出一张打印过的纸。

"全在这。桑德斯夫人,一星期前上报失踪,黑头发,蓝眼睛,三十六岁。不是她——而且,除了她丈夫外每个人都知道她和一个来自利兹的家伙私奔了——为了钱。巴纳德夫人——她六十五岁。帕梅拉·里夫斯[①],十六岁,昨晚从家里失踪,之前参加了女童子军大会,深褐色的头发,梳着辫子,身高五英尺五——"

梅尔切特恼火地说:

"别再念那些愚蠢的细节了,斯莱克。这不是一个女学生。依我看——"

电话铃响了。"喂——是——是,马奇·本哈姆警察总部——什么? 等一等——"他一边听一边快速地写着。再开口时,他的口气变了:

"鲁比·基恩,十八岁,职业舞蹈演员,身高五英尺四英寸,苗条,金黄色头发,蓝眼睛,鼻子向上翘起,身穿白色镶金属片的晚礼服,银色的凉鞋。是这样吗? 什么? 嗯,毫无疑问,我肯定。我马上派斯莱克过去。"

他放下电话,兴奋地看着他的属下。"我想这次我们得手了。刚才是格伦郡警察局来的电话(格伦郡是相邻的郡)。""戴恩茅斯的尊皇饭店有个女孩失踪了。"

"戴恩茅斯,"斯莱克警督说,"这还差不多。"

戴恩茅斯是不远处的海边一处很大很时髦的海滨胜地。

"离这里只不过十八英里左右的距离,"警察局长

----

① 帕梅拉的爱称。

说，"失踪的女孩是尊皇饭店的舞女或别的什么。昨晚该她上场时没有到，经理们很不高兴。今天上午还不见她人影，于是另一个女孩或别的什么人担心害怕起来。听起来有点让人费解。斯莱克，你最好立刻动身前往戴恩茅斯，到那以后向警监哈珀报到并且与他合作。"

2

外出办案最合斯莱克警督的口味。驾车疾驰，粗暴地让那些急于向他诉说的人闭嘴，以情况紧急为由打断谈话。所有这些对斯莱克来讲都是必不可少的。

在令人难以置信的短时间内，他赶到了戴恩茅斯，向警察总部报到后，便和心神不定、焦虑不安的饭店经理进行了简短的会面，他给对方留下了难以释怀的安慰——"在我们兴师动众之前首先必须确定死者是这个女孩。"接着便和鲁比·基恩最亲近的亲属驾车返回马奇·本哈姆。

离开戴恩茅斯前他给马奇·本哈姆拨打了一个简短的电话，虽然警察局长对他的出现不觉奇怪，可是对"这是乔西，长官。"的简单介绍没有心理准备。

梅尔切特上校冷冷地盯着他的下属。他觉得斯莱克的神经出了问题。

刚刚下车的那位年轻妇女连忙上前解围。

"那是我的职业名字,"她解释说,露出一排大而白的漂亮牙齿,"雷蒙德和乔西,我的搭档和我这样称呼我们自己,当然,饭店里所有的人都叫我乔西。约瑟芬·特纳是我的真名。"

梅尔切特上校调整了情绪,他邀请特纳小姐坐下,同时迅速地以职业的目光瞥了她一眼。

这是一位长相好看的年轻小姐,大概更接近于三十岁而不是二十岁,她的外貌则更取决于修饰而不是真实的五官。看上去她能力强,脾气好,明白事理。她决不属于光彩照人的那种类型,然而却不乏吸引力。她的化妆很谨慎,身上穿着定制的深色套服。尽管她看上去难过不安,可是上校觉得她并不特别忧伤。

她坐下后说:"这件事太可怕了,让人难以相信。你们真的认为她是鲁比?"

"这个恐怕要请你来告诉我们。这可能会使你很难过。"

特纳小姐不安地问:

"她——她——看上去很可怕吗?"

"恐怕会让你大吃一惊。"他向她递去他的烟盒,她感激地接受了一支。

"你——你们想让我马上看她吗?"

"恐怕这样最好,特纳小姐。瞧,我们最好确定之后再向你提问。你看我们尽早结束这一切,好不好?"

"好。"

他们驱车前往殡仪馆。

一会儿以后,乔西出来了,她的脸色很难看。

"没错,是鲁比。"她说话时声音发颤。"可怜的孩子!天哪,太奇怪了。没有……"她急切地四下望望——"有杜松子酒吗?"

没有杜松子酒,但是有白兰地。特纳小姐吞下一点后,恢复了镇定。她直言道:

"看到这样的情形真让人吃惊,可怜的小鲁比!男人们是猪猡。"

"你认为是个男人干的?"

乔西看上去有点吃惊。

"不是吗?嗻,我的意思是——自然我想——"

"你想起什么特别的男人?"

她使劲摇摇头。

"不——我想不起来。我什么都不知道。自然鲁比也不会让我知道,如果——"

"如果什么?"

乔西犹豫不决。

"嗯——如果她——和别人谈恋爱。"

梅尔切特敏锐地看了她一眼,直至回到他的办公室后才开口说:

"特纳小姐,我要你把你所知道的一切都告诉我。"

"当然。我从哪开始?"

"我需要知道这个女孩的全名及住址,她与你的关系,还有你所知道的关于她的一切。"约瑟芬·特纳点点头。梅尔切特此时更加确信她并不特别痛苦。她吃惊、难过,仅此而已。她谈起来不费吹灰之力。

"她的名字叫鲁比·基恩——这是她的职业名字。她的真名叫罗西·莱格。她的母亲和我的母亲是表姐妹。我太熟悉她了,但并不十分了解,如果您明白我这样讲的意思。我有很多表兄妹——有些在做生意,有些在演艺界。鲁比多少受过舞蹈方面的训练。去年她在童话剧等方面干得不错。虽然层次不高,但那些地方剧团也很不错。从那以后她在伦敦南部的布里克斯韦尔的豪华舞厅做伴舞女。这个舞厅体面正派,而且对这些女孩也关照得不错,但是挣钱不多。"她停顿了一下。

梅尔切特上校点点头。

"到这就该说我了。我在戴恩茅斯的尊皇饭店已经做了三年的舞蹈和桥牌女招待。这个工作不错,报酬高,干起来挺带劲。客人来了后我就招呼他们——当然要琢磨他们——有的人喜欢独处,有的人孤独则想找事情做。我的任务就是把兴趣相同的人捏合起来玩桥牌,让年轻人一块跳舞等事。这需要一点机智和经验。"

梅尔切特又点了点头。他相信眼前的这个女子一定很擅长她所做的工作;她让人感觉友好、愉快,而且他还认为她人很精明。

"除此以外,"乔西继续说,"每晚我和雷蒙德要跳几组表演舞。雷蒙德·斯塔尔——他是网球和跳舞的行家。喏,情况是这样,今年夏天有一天,我游泳时不慎在岩石上滑了一跤,脚踝扭伤得很厉害。"

梅尔切特已经注意到她走路时有点瘸。

"自然我暂时就不能跳了,事情很难办。我不想让饭店找人替代我。这样做总有风险,"刹那间,她温和的蓝眼睛变得坚强犀利;这是一位为生存而奋斗的女性——"要知道他们会毁掉你的前程。所以我想到了鲁比并向经理推荐她。我继续做主持、组织桥牌等活动。鲁比只负责跳舞。如果您明白我的意思,我是想把这差事留在自家的圈子内。"

梅尔切特说他明白。

"就这样,他们同意了。我给鲁比打电话,她来了。对她来讲,这是一个机会,比她以往做过的任何工作都强。这大约是一个月前的事。"

梅尔切特上校说:

"我明白。她干得不错吧?"

"哦,是的。"乔西不经意地说,"她干得不错。虽然她跳舞不如我,但雷蒙德很棒,他领着她进行得很顺利,而且她很漂亮——身材苗条,皮肤白皙,天真无邪。就是化妆有点过头——对此我总是说她。可你知道现在的女孩是什么样。她才十八岁,这个年龄的女孩都化妆而且做得过分。这在像尊皇饭店这样高档的地方不合适。对此我总是批评她,强迫她把妆化淡一点。"

梅尔切特问:"她受欢迎吗?"

"哦,是的。告诉你,鲁比不怎么抱怨。她有点木讷。她更容易和年纪大的人相处,而不是年轻人。"

"她有特殊的朋友吗?"

眼前的女士会意地看着他。

"没有你指的那种,反正就我所知没有。不过,即使有她也不会告诉我。"

有那么一会儿梅尔切特想鲁比为什么不告诉她——乔西并不像一位严格的卫道士。然而他只是说:"现在你向我描述一下最后看见你表妹的情况。"

"昨天晚上,她和雷蒙德应该跳两个表演舞——一个在十点半,另一个在午夜。他们跳完了第一个舞。这之后,我看到鲁比和住在饭店里的一个年轻人一起跳舞。当时我和几个客人正在休息厅里玩桥牌。休息厅和舞厅之间隔着一道玻璃墙。这是我最后看见她。午夜刚过,雷蒙德急匆匆来了。他问鲁比在哪里,说该她上场了,还没看见她的影子。说实话,我当时真的气坏了!女孩子就爱做这种蠢事,引得经理发火,然后炒她们的鱿鱼!我和雷蒙德一起去她的房间找,可她不在。我注意到她换了衣服。她跳舞时穿的那件舞裙——一种粉色、泡泡似的大摆舞裙——搭在椅子上。通常她总是穿这件舞裙,除非是在特别的跳舞夜——星期三。

"我不知道她出了什么事。我们让乐队又演奏了一曲狐步舞——可还是不见鲁比,我就对雷蒙德说我和他跳表演舞。我们选了一首较容易的舞曲,而且还缩短了时间——就这也让我疼得够呛。今天早上脚踝全肿了。可是鲁比还没有回来。我们熬夜等到两点。她把我气死了。"

她的声音微微有些发颤。梅尔切特听得出她真的很生气。有一会儿他觉得她的反应似乎有些不必要地强烈。他觉得对方有意识地隐瞒了些什么。他说：

"今天早上，当鲁比·基恩还没有回来，床具也还未动的时候，你就报警了？"

他已经从斯莱克在戴恩茅斯拨打的简短电话中知道情况并不是如此。但是他想听听约瑟芬·特纳会怎么说。

她没有犹豫。她说："不，我没有。"

"为什么不呢，特纳小姐？"

她坦诚地看着他说：

"如果您处在我的位置，您也不会的。"

"你认为不会吗？"

乔西说：

"我必须要考虑到我的工作。饭店最忌讳的事就是丑闻——特别是惊动警方的事。我当时认为鲁比不会出什么事。根本不会。我想她是为某个年轻人昏了头。我想她会平安无事地回来的——我准备等她回来后好好骂她一顿！十八岁的女孩多么愚蠢。"

梅尔切特假装在看他的笔记。

"哦，对了，是一个叫杰弗逊的先生报的警。他是住在饭店里的客人吗？"

约瑟芬·特纳简短地回答：

"是的。"

梅尔切特上校问：

"杰弗逊先生为什么要报警？"

乔西捋着上衣的袖口，她看上去局促不安。梅尔切特上校又一次感觉到她有事情没有抖出来。只听她非常惆怒地说：

"他是个残疾人。他——他很容易激动。我的意思是,因为他是残疾人。"

梅尔切特没有把这个话题接下去。他问：

"你最后一次看到的和你表妹跳舞的那个年轻人是谁?"

"他叫巴特利特。已经在饭店住了大约十天。"

"他们之间关系很好吗?"

"应该说不特别。就我所知是这样。"

她的声音里又带有奇怪的愤怒之意。

"他说了些什么?"

"他说跳完舞后鲁比上楼去搽粉。"

"就在这时她换了衣服?"

"大概是。"

"你知道的就这么多? 这之后她就——"

"消失了。"乔西说,"是这样。"

"基恩小姐认识圣玛丽·米德的什么人吗? 或附近的任何人?"

"我不知道。也许认识。从四面八方到戴恩茅斯尊皇饭店的年轻人很多。除非他们碰巧提起,不然我根本不知道他们住在哪里。"

"你曾听见你表妹提起过戈辛顿吗?"

"戈辛顿?"乔西看上去非常迷惑。

"戈辛顿宅邸。"

她摇摇头。

"从未听说过。"她的语气确定无疑。

"戈辛顿宅邸,"梅尔切特上校解释说,"就是她尸体被发现的地方。"

"戈辛顿宅邸?"她瞪着眼。"太奇怪了!"

梅尔切特自忖:"是奇怪!"他大声说:

"你认识一位上校或班特里夫人吗?"

乔西又摇了摇头。

"或者一位巴兹尔·布莱克先生?"

她微微皱起眉。

"我想我听过这个名字。对,我肯定听过——但是记不起有关他的任何事情。"

勤勉的斯莱克警督向上司递过去一张从笔记本上撕下的纸。上面用铅笔写着:

"班特里上校上星期在尊皇饭店吃过饭。"

梅尔切特抬起头,眼睛碰到了警督的目光。警察局长的脸涨红了。斯莱克是一位勤奋热心的警官,梅尔切特非常不喜欢他。但是他不能不理会这样的挑衅。警督正以沉默的方式指责他袒护自己的朋友——包庇"同学情谊"。

他转向乔西。

"特纳小姐,如果你不介意,我想请你和我一起去一趟戈辛顿宅邸。"

梅尔切特几乎没有理会乔西表示同意的嘀咕声,他冷冷地、蔑视地看着斯莱克。

第四章

1

圣玛丽·米德迎来了很久以来从未有过的最令人兴奋的早晨。

韦瑟比小姐,一个长鼻子、尖刻的老处女,第一个开始传播那令人陶醉的消息。她敲响了邻居及好友哈特内尔家的门。

"亲爱的,请原谅我这么早过来。不过,我想你也许还没有听说这条新闻吧。"

"什么新闻?"哈特内尔小姐赶紧问。她的嗓音低沉,尽管穷人不愿接受她的帮助,可她对扶贫探访的事乐此不疲。

"班特里上校藏书室里发现了一具尸体——一具女人的尸体——"

"班特里上校的藏书室?"

"是的。太可怕了。"

"他的妻子真可怜。"哈特内尔小姐尽力掩饰她那非常炽热的快感。

"是啊。我猜她什么也不知道。"

哈特内尔小姐开始苛刻地评论道:

"她对她的花园关心太多,而对她的丈夫关心不够。对男人你必须留神——任何时候——任何时候。"哈特内尔小姐狠狠地重复。

"是呀,是呀。这件事太可怕了。"

"不知道简·马普尔小姐会怎么说。你想她会知道点什么吗?她对这种事很敏感。"

"简·马普尔小姐已经去过戈辛顿了。"

"什么?今天早上?"

"很早。早饭前。"

"可是,真的!我觉得!哦,我的意思是,这样做太过分了。我们都知道简爱探听消息——但我说这一次她的做法不合适!"

"可那是班特里太太叫她去的。"

"班特里太太叫她去的?"

"是马斯韦尔开车来接的。"

"天啊!太离奇了……"

她俩沉默了一两分钟,力图消化这条新闻。

"那是谁的尸体?"哈特内尔小姐问。

"你知道那个和巴兹尔·布莱克在一起的可怕女人吗?"

"那个把头发染成金黄色的可怕女人?"哈特内尔小姐有点落后于潮流。她还没有从双氧水漂染前进到淡金黄色。"那个几乎什么都不穿就躺在花园里的女人?"

"是的,亲爱的。这一回她躺在——炉边地毯上——被勒死了!"

"你是什么意思——在戈辛顿?"

韦瑟比小姐意味深长地点点头。

"那——班特里上校也——"

韦瑟比小姐又点了点头。

"天啊!"

片刻停顿间,两位妇人品味着乡下的又一桩丑闻。

"真是个邪恶的女人!"义愤填膺的哈特内尔小姐说这话时的声音像喇叭。

"恐怕太放纵了!"

"而班特里上校——这么一个有教养又文静的人——"

韦瑟比小姐兴冲冲地说:

"通常那些少言寡语的人最坏。简·马普尔小姐总是这样说。"

2

普赖斯·里德利夫人是最后听到这条消息的人之一。

她是一个富有而专横的寡妇,住在教区牧师隔壁的一幢大房子里。她的消息来源是她的小女佣克拉拉。

"克拉拉,你是说一个女人?被发现死在班特里上校的炉边地毯上?"

"是的,夫人。他们还说她身上什么也没穿,光着身子!"

"够了,克拉拉。不必讲细节。"

"是的,夫人。他们说开始以为是布莱克先生的年轻小姐——就是和他一起在布克先生的新屋度周末的那位。现在他们说是另一个年轻小姐。鱼贩子的伙计说他怎么也不敢相信像班特里上校这样在星期天传递捐款盘的人会是这样——"

"这个世界有很多的邪恶,克拉拉。"普赖斯·里德利夫人说,"这件事对你是个警告。"

"是的,夫人。只要屋里有男人,我母亲从不让我待在那儿。"

"这就好,克拉拉。"普赖斯·里德利夫人说。

3

普赖斯·里德利夫人的住房离教区牧师的住所只一步之遥。

普赖斯·里德利夫人很幸运,她在牧师的书房里找到了他。

牧师是一位温和的中年人,他总是最后一个听到任何消息。

"这件事太可怕了。"普赖斯·里德利夫人因为来时走得太快,说话时有点气喘。"我觉得必须听听您的意见,您对这事的看法,亲爱的牧师。"

克莱门特先生看上去有点吃惊。他问:

"发生了什么事?"

"发生了什么事?"普赖斯·里德利夫人戏剧性地重复这个问题。"最大的丑闻!谁也不清楚是怎么回事。一个放纵的女人,一丝不挂,被勒死在班特里上校的炉前地毯上。"

牧师睁大眼睛。他说:

"你——你没事吧?"

"也难怪你不相信!我开始也不相信。那人真虚伪!这么多年!"

"请告诉我这一切到底是怎么回事。"

普赖斯·里德利夫人立刻开始了详尽的叙述。等她讲完后,克莱门特先生轻轻说:"但是没有什么能证明班特里上校和这件事有牵连,是不是?"

"哦,亲爱的牧师,您太超凡脱俗了!不过有件事我得告诉你。上星期四——或者是上上个星期四?这个没关系——我坐减价日行火车去伦敦。班特里上校和我在同一个车厢。我觉得他看上去心不在焉,一路上都把自己埋在泰晤士报后面,好像不想说话。"

牧师完全会意并稍带同情地点点头。

"在帕丁顿车站我和他道别。他提出帮我叫一辆出租车,可是我要坐公共汽车去牛津街——于是他坐进了一辆出租车,我清楚地听见他对司机说去——你猜去哪里?"

克莱门特先生的目光在询问。

"去圣约翰林地的某个地方!"

普赖斯·里德利夫人胜利般地止住。

牧师还是丝毫未受到启发。

"我想这个可以证明一切。"普赖斯·里德利夫人说。

4

在戈辛顿,班特里太太和马普尔小姐正坐在起居室里。

"你知道,"班特里太太说,"我真高兴他们把尸体抬走了。家里有具尸体真不是滋味。"马普尔小姐点点头。

"我知道,亲爱的。我知道你的感受。"

"你不知道,"班特里太太说,"除非你亲身经历过。我知道你的隔壁以前也发生过类似的事,但那是两码事,我只希望,"她接着说,"阿瑟不会讨厌那个藏书室。我们以前经常坐在那里。你要干什么,简?"

这时马普尔小姐看了一下表,正要起身。

"如果我不能再为你做点什么,我想我该回家了。"

"先别走。"班特里太太说,"虽然指纹专家、摄影师和大多数的警察都走了,可我感觉还会有事情发生。你不想错过什么吧。"

电话铃响了,她走过去接,回来时满脸欣喜。

"我说会有事情发生吧。是梅尔切特上校打来的。他就要和那个可怜的女孩的表姐过来。"

"不知道来干什么。"马普尔小姐说。

"哦,我想是来看看出事的地点吧。"

"我想不只这些。"马普尔小姐说。

"你是什么意思,简?"

"嗯,我想——也许——他想带她见见班特里上校。"

班特里太太急促地说:

"看她是否能认出他? 我猜——噢,没错,我猜他们肯定会怀疑阿瑟。"

"恐怕是。"

"就好像阿瑟和这件事有关!"

马普尔小姐没有说话。班特里太太恼怒地向她发起火来。

"不要跟我举例说那个老将军亨德森——或某个偷养情妇的讨厌的老家伙。阿瑟不是那种人。"

"不,不,当然不是。"

"他真的不是那种人。他只是——有时候——在前来打网球的漂亮女孩面前有点犯傻。是那种——非常愚蠢的,像长辈似的。没有一点恶意。他为什么不呢?"班特里太太最后令人琢磨不透地说,"毕竟,我才拥有满园风景。"

马普尔小姐笑了。

"多利,你不要担心。"她说。

"我是不想担心,可还是有点。阿瑟也有点着急。这件事让他心烦意乱。周围到处都是警察。他到农场去了。心烦时看看猪或别的东西总能使他平静下来。瞧,他们来了。"

警察局长的车停在了外面。

梅尔切特上校和一位穿着漂亮的女士走了进来。

"班特里太太,这是特纳小姐,嗯——受害人的表姐。"

"你好。"班特里太太说,同时伸出了手。"这一切一定让你很难过。"

约瑟芬·特纳坦率地说:"哦,是的。这一切似乎都不是真的,像一场噩梦。"

班特里太太介绍了马普尔小姐。

梅尔切特随便地问了一句:"你家的大好人在吗?"

"他有事去农场了,一会儿就回来。"

"哦——"梅尔切特似乎不知该怎么办。

班特里太太对乔西说:"你想看看出事的——出事的地方吗? 或者不想看?"

片刻后约瑟芬说:

"我想我愿意看一看。"

班特里太太领着她走进藏书室,马普尔小姐和梅尔切特跟在后面。

"她在那,"班特里太太说,一只手演戏般地指着,"在炉边地毯上。"

"哦!"乔西颤栗了一下。她看上去迷惑不解,皱着眉说:"我真弄不明白!弄不明白!"

"我们当然弄不明白。"班特里太太说。

乔西缓慢地说:

"这不是那种地方——"她的话只说了一半。

马普尔小姐轻轻地点点头,表示同意她未说完的话。

"正是这点,"她小声说,"才使这件事变得非常有趣。"

"说吧,马普尔小姐,"梅尔切特上校诙谐地说,"有解释吗?"

"哦,是的,我有一种解释。"马普尔小姐说,"一个理由很充分的解释。当然这只不过是我本人的想法。汤米·邦德,"她继续说,"还有马丁太太,我们新来的女教师。她给钟上弦时,一只青蛙跳了出来。"

约瑟芬·特纳看上去迷惑不解。等他们都走出房间后她小声问班特里太太:"这位老妇人的神经是不是有点毛病?"

"一点毛病也没有。"班特里太太生气地说。

乔西说:"对不起。我以为她说自己是青蛙或别的什么。"

班特里上校从边门进来。梅尔切特大声招呼他,并在介绍他和约瑟芬·特纳认识时注意观察后者。但是从乔西脸上看不出相识或感兴趣的表情。梅尔切特松了一口气。该死的斯莱克和他的含沙射影！

为回答班特里太太的提问，乔西把鲁比·基恩失踪的故事从头到尾又说了一遍。

"亲爱的，让你担心死了。"班特里太太说。

"我生气胜过担心。"乔西说，"瞧，我当时不知道她出事了。"

"可你还是，"马普尔小姐说，"报了警。这样做难道不——请原谅我这样说——太仓促吗？"

乔西急忙说：

"哦，我没有报警。是杰弗逊先生报的。"

班特里太太说："杰弗逊？"

"是的，他是个残疾人！"

"不会是康韦·杰弗逊吧？我和他很熟，他是我们家的老朋友。阿瑟，听着——康韦·杰弗逊。他目前住在尊皇饭店，是他向警方报案的！这真是很巧啊！"

约瑟芬·特纳说：

"去年夏天杰弗逊先生也在这里。"

"真的！我们一点也不知道。我很长时间没见到他了。"她问乔西。"他现在怎么样？"

乔西想了想。

"我觉得他很好，真的——非常好。我的意思是他总是很高兴——总有笑话讲。"

"他的家人和他在一起吗？"

"你指的是加斯克尔先生、小杰弗逊夫人和彼得？哦，是的。"

约瑟芬·特纳坦率迷人的外表下掩藏着什么。当她说到杰弗逊一家时，声音里流露出某些不自然。

班特里太太说："他们两人都很好。我是指小的。"

乔西非常迟疑地说：

"哦，是的——是的，他们是的。我——我们——是的，他们是的。没错。"

5

班特里太太透过窗户望着正离去的警察局长的车说："她那样说是什么意思？'他们是的，没错。'简，你不觉得有些……"

马普尔小姐马上说：

"噢，我确实感觉到了。这一点明白无误！当提到杰弗逊的家人时，她的态度马上就变了。这之前她似乎一直都很自然。"

"简，你看这是怎么一回事？"

"亲爱的，你认识他们。就像你说的，我只觉得这家人有什么事让这个年轻女人着急。还有，你有没有注意到当你问她是否为那个失踪的女孩担心时，她说她生气！而且她看上去是生气——真的生气！你瞧，这一点让我觉得有意思。我有一种感觉——也许是错的——她对这个女孩的死主要反应就是生气。我确信她不在意这个女孩。她一点儿也不悲伤。但是我可以非常肯定地说她一想到那个叫鲁比·基恩的女孩就生气。让人感兴趣的问题是——为什么?"

"我们会查出来的!"班特里太太说,"我们去戴恩茅斯的尊皇饭店住下——简,你也去。这一切发生之后我也需要放松一下。在尊皇饭店住几天——这就是我们需要的。你还要见见康韦·杰弗逊。他是一个不错——一个非常不错的人。这是一个你能想象出来的最悲伤的故事。他曾有一对非常招他喜爱的儿女。他们虽然都已成婚,但还是在父母家里度过了不少时间。他的妻子也是最可爱的女人,他对她非常忠诚。有一年他们乘飞机从法国回家,途中出了事。飞行员、杰弗逊夫人、罗莎蒙德、弗兰克都遇难了。康韦的两条腿伤势太重,不得不截肢。但他一直表现得都很了不起——他的勇气、他的精神!他曾是一个非常活跃的人,现在却是一个无助的瘸子,可他从不抱怨。他的儿媳和他住在一起——她和弗兰克·杰弗逊结婚时是个寡妇,身边有个第一次婚姻留下的儿子——彼得·卡莫迪。他们两个和康韦住在一起。罗莎蒙德的丈夫马克·加斯克尔大部分时间也在那里。这是一场最可怕的悲剧——"

"现在,"马普尔小姐说,"又有一场悲剧——"

班特里太太说:"哦,是呀——是呀——但是和杰弗逊先生一家没有关系。"

"是吗?"马普尔小姐说,"是杰弗逊先生向警察报的案。"

"是他报的案……嘿,简,这真奇怪……"

第五章

1

梅尔切特上校眼前是一个非常恼怒的饭店经理。在场的还有格伦郡警察局的哈珀警监及回避不了的斯莱克警督——后者对警察局长蓄意插手这个案子的做法极为不满。

哈珀警监有意安慰几乎要流泪的普雷斯科特——梅尔切特上校的态度则生硬粗暴。

"覆水难收，哭也没用。"他生硬地说，"那女孩死了——被勒死的。你很幸运她没有被勒死在你的饭店里，所以对这案子的调查在另一个郡进行，你的生意不会受到什么影响。但是有些事情我们必须搞清楚，而且越快越好。你可以相信我们办事既谨慎又老练。所以我建议你不要拐弯抹角。关于这个女孩，你都知道些什么？"

"有关她的事我什么也不知道。是乔西带她来的。"

"乔西在这很久了吗？"

"两年——不，三年。"

"你喜欢她?"

"是的,乔西这个女孩不错——一个好女孩,她很有能力。她负责公关,消除人们之间的摩擦——你知道,桥牌是一种很微妙的游戏——"梅尔切特上校有感触地点点头。他的妻子就热衷于桥牌,可是牌艺极差。普雷斯科特先生继续说:"乔西非常善于化解人们之间的不快。她擅长和人打交道——聪明而且果断,如果您明白我的意思。"

梅尔切特又点点头。现在他知道约瑟芬·特纳小姐使他想起了什么。尽管她化了妆且穿着漂亮,但她身上明显地有保育员的味道。

"我依靠她。"普雷斯科特先生继续说。他开始忿忿不平。"真不知道她为什么那么傻,偏要到滑溜的岩石上玩?我们这有很好的海滩。为什么她不在这里游泳?结果滑倒扭伤了脚踝。这对我太不公平!我花钱是让她跳舞、打桥牌、哄客人们高兴——不是让她到岩石边游泳去折断她的踝骨。跳舞的人应该留意他们的脚踝——不能冒险。我对这件事很恼火。这对饭店来讲不公平。"

梅尔切特打断了他的叙述。

"所以她建议让这个女孩——她的表妹——来替她?"

普雷斯科特不情愿地表示同意。

"是这样。听起来这个主意不错。你瞧,我并不付额外的报酬。我可以雇佣那女孩,但是工资,她得和乔西商讨解决。情况就是这样。我对那女孩一无所知。"

"可是她表现不错。"

"哦,是的。她没有什么不对劲的地方——至少看上去如此。当然,她很年轻——也许对这种地方来讲,她的人格不高,但是她的行为举止不错——文静、懂礼貌,舞跳得好,人们喜欢她。"

"漂亮吗?"

这个问题单从看一眼那青肿的脸很难回答。

普雷斯科特想了想。

"介于一般到中等之间。如果您明白我的意思,她有点偏瘦。不化妆就不起眼。所以她尽力使自己看上去非常吸引人。"

"她周围有许多年轻人吗?"

"我知道您是什么意思,先生。"普雷斯科特兴奋起来。"我什么都不曾看见,没什么特别的。周围有时有一两个年轻人——但没有什么可奇怪的,和勒死的事决不沾边。她和年长的人也相处得好——她举止天真——像个孩子,如果您明白我的意思。这一点让年纪大的人感兴趣。"

警监哈珀嗓音低沉地说:

"比如,杰弗逊先生?"

经理对此表示同意。

"是的,杰弗逊先生是我脑子里的人之一。她过去常常和他以及他的家人坐在一起。他有时候和她一起坐车出去兜风。杰弗逊先生非常喜欢年轻人,对他们也很好。我不想让人有什么误解。杰弗逊先生是个瘸子;他的活动能力有限——局限于他的轮椅的活动范围内。但他总是很乐意看年轻人玩——打网球、游泳等等——还在这里为年轻人举行聚会。他喜欢年轻人——关于他没有什么不中听的话。他是一个受人欢迎的绅士，而且，我要说他是一个非常优秀的人。"

梅尔切特问：

"他对鲁比·基恩感兴趣？"

"我想她的谈吐让他觉得有趣。"

"他的家人也和他一样喜欢她吗？"

"他们都对她不错。"

哈珀说：

"是他向警方报案女孩失踪的事？"

他刻意强调这句话里所包含的意义和责难。经理立刻说：

"哈珀先生，你处在我的位置想想。当时我做梦也不曾想到会出什么乱子。杰弗逊先生来到我的办公室，他大发雷霆，情绪非常激动。那女孩没在自己的房间里睡觉。昨晚跳舞也没上场。她一定是坐车出去兜风了，而且可能出了事故。应该立刻报警！赶紧调查！激动之下他非常专横。当时他就打电话向警方报了案。"

"没有和特纳小姐商量？"

"我看得出来乔西不太喜欢这个做法。她对整件事都非常恼火——我的意思是她对鲁比恼火。不过她能说什么呢？"

"我看，"梅尔切特说，"我们最好见见杰弗逊先生。

怎么样,哈珀?"

警监哈珀表示同意。

2

普雷斯科特先生和他们一起向康韦·杰弗逊的套间走去。房间在二层,在这里能俯瞰大海。梅尔切特漫不经心地说:

"他过得不错,是吧? 他很有钱?"

"我想他很富有。他来这里从不吝惜。订的是最好的房间——一般是按菜单点菜,昂贵的葡萄酒——一切都是最好的。"

梅尔切特点点头。

普雷斯科特先生轻轻地敲了敲门,一个女人的声音说道:"进来。"

经理走了进去,其他人跟在后面。

屋内有个女士靠窗边坐着,她向他们转过头,普雷斯科特先生歉意地说:

"很抱歉打扰您,杰弗逊夫人,可是这几位先生是——警察局的。他们很想和杰弗逊先生谈谈。哦——这是梅尔切特上校——哈珀警监,警督——哦——斯莱克——这是杰弗逊夫人。"

杰弗逊夫人对介绍过的人一一颔首。

一位普通的女士，这是梅尔切特的第一眼印象。可是当她嘴唇微微泛起笑意开口说话时，他改变了当初的看法。她的声音特别有吸引力，很迷人；她的眼睛呈淡褐色，清澈透明，非常漂亮。她穿着朴素，但很合体。他判断她大约有三十五岁。

她说：

"我的公公正在睡觉。他的身体一点也不强壮，这件事对他打击很大。我们不得不请医生。医生给他注射了镇静剂。我知道他一醒就会见你们。那么现在我能为你们做点什么？请坐吧。"

普雷斯科特先生急于离去，他对梅尔切特上校说："那——嗯——如果我能做的就这些？"在获得同意后他感激不尽地走了出去。

随着门在他身后关上，屋内的气氛变得随和而更有社交的味道。阿德莱德·杰弗逊能制造出一种宁静的氛围。她似乎从不说什么惊人的话，却能促使别人开口讲话并且使他们感到自在。此时她恰如其分地说：

"我们对这件事都感到很震惊。要知道我们常和这个女孩见面。真让人难以置信。我的公公非常难过。他很喜欢鲁比。"

梅尔切特说：

"听说是杰弗逊先生向警方报案她失踪了？"

他想看看她对此到底有什么反应。有一点——只有一点——恼火？担忧？他无法确切地判断是什么，但一定有问题，而且在他看来，她的确在强打精神，就好像要对付一件棘手的事。

她说：

"是的，是这样。他是个残疾人，很容易激动不安。我们尽力对他说一切正常，一定有什么原因，而且那女孩不会愿意我们报警的。可是他不听。喏，"她做了一个小手势——"他是对的，我们错了。"

梅尔切特问："杰弗逊夫人，确切地说，你对鲁比·基恩了解多少？"

她想了想。

"这很难讲。我公公非常喜欢年轻人，喜欢和他们待在一起。鲁比在他眼里是一种新的类型的人——她的喋喋不休让他感觉有趣。她经常和我们一起坐在饭店里，我公公还带她驾车出游。"

她的声音表明她不想介入此事。梅尔切特自忖："只要她愿意，她还有可讲的。"

他说："你能把你所知道的昨晚发生的事讲一遍吗？"

"当然。不过恐怕没有多少有价值的东西。晚饭后，鲁比和我们一起坐在休息厅里。跳舞开始后她还坐在那里。我们已经安排好打桥牌，正在等马克，就是马克·加斯克尔，我的妹夫——他娶了杰弗逊先生的女儿——他有些重要的信要写，我们还要等乔西，她和我们一起凑成四个。"

"你们经常这样玩牌吗？"

"经常。乔西是个一流的牌手，而且人也很好。我公公特别喜欢玩桥牌,只要有可能他就逮住乔西而不是别人凑成第四个牌友。当然,她必须每组都安排四个人,所以不能总是和我们一块儿玩,但只要可能,她就加入我们的行列,而且因为,"她微微笑了笑——"我公公在这里花了不少钱,所以乔西讨好我们,经理也感到高兴。"

梅尔切特问:

"你喜欢乔西吗?"

"是的,我喜欢。她总是和和气气,让人感到愉快。她工作勤奋而且似乎喜欢她的工作。虽然她没有受过良好的教育,但她人很精明,而且——从不做作。她很自然,不装腔作势。"

"请继续说下去,杰弗逊夫人。"

"像刚才说的,乔西必须安排四人一组打桥牌。马克在写信,所以鲁比和我们坐在一起聊天的时间比往常长一点。后来乔西来了,鲁比就起身去和雷蒙德跳她的第一个双人舞——他是个职业舞蹈家和网球手。鲁比回来的时候马克刚刚加入我们。于是她就去和一个年轻人跳舞,我们四个人就开始打桥牌。"

她停了下来,做了一个无奈的小手势。

"我知道的就这些!她跳舞的时候我见过她一眼,但是桥牌是一种要求注意力集中的游戏,我几乎没有看玻璃墙那边的舞厅。到了午夜,雷蒙德来找乔西,他神情懊恼,问鲁比在哪里,乔西当然叫他闭嘴,可是——"

哈珀警监打断了她的话,他用他特有的平静声音说:"为什么说是'当然',杰弗逊夫人?"

"嗯,"她犹豫不定,梅尔切特觉得她有点不安——"乔西不想让那女孩旷工的事弄得大惊小怪。从某个意义上讲,她觉得自己应该对那女孩负责。她说鲁比有可能在楼上她的卧室里,还说那女孩早些时候说过她头疼——顺便说一句,我觉得这不是真的;我认为乔西这样说只不过是想找个借口。雷蒙德去给楼上鲁比的房间打电话,但是显然没有人接,因为他回来时神情非常紧张,很激动。乔西和他一起离去,她尽力安慰他,最后她代替鲁比和他跳了舞。她真有毅力,之后谁都可以看出她的脚踝疼得很厉害。跳完舞后她又回来尽力安慰杰弗逊先生。当时杰弗逊异常激动。我们最终说服他上床休息,我们对他说鲁比可能坐车出去兜风了,有可能车胎被扎破了。他忧心忡忡地上了床。今天早上他又焦急不安。"她停了下来。"后来发生的事你们都知道啦。"

"谢谢您,杰弗逊夫人。现在我想问问您,您认为这件事可能是谁干的?"

她立刻回答:"不知道。恐怕我帮不上一点儿忙。"

他追问:"那女孩什么都没说过? 没说过嫉妒的事? 她害怕某个男人? 或她亲近的男人?"

阿德莱德·杰弗逊对每个问题都摇摇头。

似乎她再也没有更多的可以告诉他们。

警监提议他们先去见见小乔治·巴特利特,然后再回头找杰弗逊先生。梅尔切特上校表示同意,于是他们三个人走了出去,杰弗逊夫人保证杰弗逊先生一醒就通知他们。

当身后的门关上以后,上校说:"一个好女人。"

哈珀警监说:"确实是一位非常好的女士。"

3

小伙子乔治·巴特利特瘦骨嶙峋,喉结突出,表达起来极为困难。他浑身抖得如此厉害以致于很难说出一句镇定的话。

"我说,这太可怕啦,是不是? 像是在星期日出版的报上读到的新闻——让人觉得这种事不可能发生,你知道吗?"

"巴特利特先生,遗憾的是这件事确实发生了。"警监说。

"当然,当然,毫无疑问。可是这件事真的很古怪。离这几英里远,还有,等等,那些——在乡下某幢房子里,是不是? 可怕的郡之类的。在附近引起了一点骚动——是不是?"

梅尔切特上校接过话茬。

"巴特利特先生,你熟悉那个死了的女孩吗?"

看上去乔治·巴特利特吃了一惊。

"哦,不——不——不——一点也不熟,先——先——先生。不,根本不了解——如果您明白我的意思。和她跳过一两次舞——消磨时间——打打网球——就这些。"

"我想你是昨晚最后一个见到活着时候的她?"

"大概是——听起来是不是可怕?我是说,我看见她的时候她还好好的——一点没错。"

"那是几点钟,巴特利特先生?"

"哦,你看,我从来不记钟点——不太晚,如果您明白我的意思。"

"你和她跳舞了?"

"是的——实际上——哦,是,我和她跳了。晚上的早些时候。听我说,就在她和那个职业的小伙子刚刚跳完表演舞之后。一定是十点,十点半,十一点,我不知道。"

"别管时间了。这个我们能确定。请告诉我们确切发生了什么事。"

"你知道,我们跳舞。我跳得并不怎么样。"

"你跳得怎样并不重要,巴特利特先生。"

乔治·巴特利特惊慌地看着上校,结结巴巴地说:

"是——噢——是——是——是,我想不重要。像我说的,我们跳舞,转了又转,我说着话,但鲁比没怎么说,她还有点打哈欠。我说过我跳舞不是特别好,女孩们就想——喏——想休息一下,如果您明白我的意思。她说她头疼——我知道何时该收场,所以我马上说那好吧,就这些。"

"你最后看见她是什么样的情况?"

"她在上楼。"

"她有没有说过要见什么人？或者乘车兜风？或者——或者——有约会？"上校使用通俗词语有点吃力。

巴特利特摇摇头。

"没对我说。"他看上去非常沮丧。"只是把我打发走了。"

"她的表情怎么样？她看上去是不是焦急不安，心不在焉，心里有事？"

乔治·巴特利特想想，然后摇摇头。

"好像有点厌倦，我刚才说过她打哈欠，别的没什么。"

梅尔切特上校说：

"你做了些什么，巴特利特先生？"

"嗯？"

"鲁比·基恩离开你以后，你干什么啦？"

乔治·巴特利特睁大眼睛看着他。

"让我想想——我做了什么？"

"我们在等你的回答。"

"是，是——当然。回忆起来非常困难，是不是？让我想想。如果我进酒吧喝一杯大概不会奇怪。"

"你进酒吧喝酒了吗？"

"没错，我的确喝了酒，不过不像是那个时候。你们知道吗？我好像出去过，出去透透气。九月份了还这么闷热，外面不错。没错，我想起来了，我在外面散了一会儿步，然后进来喝了一杯，之后又回到舞厅。没什么可做的。我注意到——她叫什么——乔西——又开始跳舞了。和那个网球先生。她已经休病假了——脚踝扭了或者是别的什么原因。"

"这说明你是午夜回来的。你是想说你在外面逗留了一个多小时?"

"你知道,我喝了一杯。我当时在——我在想事。"

这句话比任何一句更让人觉得可信。

梅尔切特上校厉声问:

"你在想什么?"

"哦,我不知道。想事情。"巴特利特先生含糊地说。

"你有辆车? 巴特利特先生?"

"哦,是的,我有辆车。"

"车在哪里? 在饭店的停车场吗?"

"不,车在院子里。瞧,当时我可能想出去兜风。"

"也许你真的出去兜风了?"

"没——没有。我发誓没有。"

"你难道没有带基恩小姐出去兜风?"

"喂,我说,你是什么意思? 我没有——我发誓我没有。听我说,是真的。"

"谢谢你,巴特利特先生。我看眼下没什么事了。眼下。"梅尔切特上校又着重地说了一遍。

他们走了,巴特利特先生望着他们的背影,痴呆的脸上露出惊恐的滑稽可笑的表情。

"没有头脑的小蠢驴,"梅尔切特上校说,"或者不是?"

哈珀警监摇摇头。

他说:"我们要走的路还很长。"

第六章

1

　　夜班行李员和酒吧的男服务员都提供不了什么帮助。那个夜班行李员记得午夜刚过时他给基恩小姐的房间打过电话,可是没有人接。他没有注意到巴特利特先生进出饭店。由于夜色好,有很多先生女士进出饭店,而且过道两头和大厅都有边门。他确信基恩小姐没有走大门出去。假如她从二层她的房间出来,旁边就有一段楼梯,过道的尽头有扇门,通向外面的阳台。她可以轻而易举不被察觉地从这扇门溜出去。这扇门要等到跳舞结束后在凌晨两点钟才关。

　　酒吧男服务员记得头天晚上巴特利特先生来过,但说不准是什么时间。他想大约是午夜时分。他记得巴特利特先生当时靠墙坐着,神情忧郁。他不知道他在那里待了多久。当时还有许多饭店外的人进出酒吧。虽然他注意到了巴特利特先生,但无论如何也记不起是什么时间了。

2

他们刚走出酒吧,一个约莫九岁的小男孩迎了上来。他兴奋地说:

"嗨,你们是侦探吗?我叫彼得·卡莫迪,为鲁比的事打电话向警察报警的杰弗逊先生是我爷爷。你们是从伦敦警察厅来的吗?我和你们说句话行吗?"

梅尔切特上校正要敷衍一下,这时哈珀警监和蔼可亲地说:

"没关系,孩子。我猜你肯定对这件事感兴趣?"

"一点没错。你喜欢看侦探小说吗?我喜欢。我都读过,而且我还有多萝西·塞耶斯、阿加莎·克里斯蒂、迪克森·卡尔和 H. C. 贝利的亲笔签名。报纸会登这起谋杀案吗?"

"会登的。"哈珀警监严肃地说。

"瞧,下个星期我就要返校了。我要把我知道的有关她的一切都告诉他们——我真的和她很熟。"

"你觉得她怎么样,嗯?"

彼得想想。

"唔,我不太喜欢她。我觉得她是个傻丫头。妈妈和马克姑父也不怎么喜欢她。只有爷爷。对啦,爷爷想见你们,爱德华兹在找你们。"哈珀警监轻声鼓励说:

"这么说你妈妈和你姑父都不太喜欢鲁比·基恩？为什么呢？"

"哦，我不知道。她老爱搀和。他们也不喜欢爷爷对她那样大惊小怪。我想，"彼得高兴地说，"她死了他们一定很高兴。"

哈珀警监若有所思地看着他。他说："你听见他们——嗯——这样说的？"

"不完全是。我听马克姑父说：'好，但是太恐怖了'，马克姑父还说假装悲伤没有用。"

在场的几位先生交换了一下眼色。这时一个脸部刮得光洁、穿着整齐的蓝色哔叽服的男人走了过来。

"对不起，先生们。我是杰弗逊先生的贴身男仆。他醒了，派我来找你们。他急于要见你们。"

他们又回到了康韦·杰弗逊的套间。起居室里，阿德莱德·杰弗逊正在和一位身材高大、紧张不安的男人说话，后者神经质地在房间里来回走动，接着突然转身面向进来的人。

"哦，真高兴你们来了。我的岳父一直要求见你们。他已经醒了。你们尽可能让他安静，好吗？ 他的身体不太好。这件事没使他倒下真是个奇迹。"

哈珀说：

"没想到他的身体这么糟。"

"他自己也不知道。"马克·加斯克尔说，"他的心脏有问题。医生曾警告过艾迪不能让他太兴奋或吃惊，这多少有点暗示死亡随时都有可能发生，是不是，艾迪？"

杰弗逊夫人点点头。她说：

"他能保持这个样子真让人难以相信。"

梅尔切特面无表情地说：

"谋杀可不是让人镇定的事。我们会尽力小心的。"

他边说边审视马克·加斯克尔。他不怎么喜欢这个家伙。一张鲁莽、肆无忌惮、鹰一般的脸，是那种我行我素、讨女人喜欢的男人。

"但不是我可以信任的那种人。"梅尔切特上校自忖。

肆无忌惮——这就是他。

是那类对什么事都无所顾忌的家伙。

3

在俯瞰大海的那间大卧室里，康韦·杰弗逊靠窗坐在轮椅上。

任何人一走进他在的屋里就能感觉到这个男人的力量和磁性。强烈的伤痛仿佛把他破碎的身体里的活力变得更集中更强烈。

他的头部很好看，红色的头发略微灰白。晒得黝黑的脸膛粗犷有力，眼睛蓝得让人吃惊。在他身上看不见虚弱病痛。脸上深深的纹路显出的是饱经风霜，不是懦弱，这是一位决不向命运低头的男人。

他说:"我很高兴你们来了。"同时敏锐地看着对方。他对梅尔切特说:"你就是拉德福郡的警察局长?很好。你是哈珀警监?坐吧。你们身旁的桌上有香烟。"

他们谢过他后坐下。梅尔切特说:

"杰弗逊先生,我听说您对死的那个女孩感兴趣?"

一丝扭曲的笑意掠过那张沧桑的脸庞。

"是的——他们肯定都告诉你们了!喏,这不是秘密。我的家人对你们讲了多少?"

他一边问一边飞快地扫视众人。

答话的是梅尔切特。

"杰弗逊夫人只告诉我们说那女孩的絮叨让你感兴趣,并且她处于某种被保护人的位置,别的什么都没有说。我们和加斯克尔先生只说了几句话。"

康韦·杰弗逊笑了。

"艾迪是个谨慎的孩子,上帝保佑她。马克可能直言快语一些。梅尔切特,我想我最好把一些事实详细地告诉你们。这对你们了解我的态度很重要。首先,有必要追述我生命中的一大悲剧。八年前,在一次飞机失事中,我失去了妻子、儿子和女儿。从那以后我像是一个失去了自己一半的人——我这里说的不是身体的残疾!我是一个家庭观念很强的人。我的儿媳和女婿对我一直都很好。他们竭尽全力来替代我的骨肉。但是我意识到——特别是最近,他们毕竟有他们自己的生活。

"所以你们必须明白,实际上我是一个孤独的人。我喜欢年轻人。我欣赏他们。有一两次我曾想过收养一个女孩或男孩。最近一个月我和死去的这个女孩关系非常好。她绝对自然——非常天真。她经常谈她的生活和经历——童话剧,巡回演出团,儿时和爸爸妈妈住在廉价的寓所。和我熟悉的生活完全不同!她从不抱怨,从不感觉不幸。她是一个不做作、不抱怨、并且勤奋的孩子,她没有被宠坏,非常可爱。她也许算不上淑女,但是,谢天谢地,也不庸俗,也不——用不好听的话说,是'贵夫人似的装腔作势'。

"我越来越喜欢鲁比。先生们,我决定正式收养她。她将通过法律成为我的女儿。我希望这些能说明我为什么关心她以及在听到她无故失踪后所采取的行动。"

静默片刻后,哈珀警监用不带感情因而不会触犯任何人的语气问:"我可以问一下您女婿和儿媳对此事的态度吗?"

杰弗逊立刻回答:

"他们能说什么?也许他们不太喜欢这个主意。这种事会引起偏见。但是他们表现得非常好——是的,非常好。瞧,他们并不依赖我。我儿子弗兰克结婚时,我把我的财产分了一半给他。我的观点是,不要让你的孩子等到你死以后再继承财产。他们年轻的时候需要钱,而不是中年的时候。同样,当我女儿罗莎蒙德坚持要和一个穷光蛋结婚时,我也给了她一大笔钱。她死后这笔钱转给了她丈夫。所以,你们看,从经济的角度来讲,这件事就简单了。"

"我明白了,杰弗逊先生。"哈珀警监说。

但从他的语气听出他多少有点保留。康韦·杰弗逊立即察觉出来。

"难道你不这样看吗?"

"这个我说不好,先生。但以我的经验看,家人并不总是表现得很明智。"

"我想你是对的,警监。但是你一定记得,严格地说,加斯克尔先生和杰弗逊夫人不是我的家人。他们和我没有血缘关系。"

"当然,这有些不同。"警监承认。

有一刹那康韦·杰弗逊的眼睛闪闪发光。他说:"但这并不是说他们就不认为我是个老傻瓜!一般人都会这么想。但我不是傻瓜。我看人很准。只要给予教育和点拨,鲁比·基恩在任何地方都可以就坐。"

梅尔切特说:

"恐怕我们太鲁莽和好打听,不过,要弄清楚所有的事实非常重要。你计划为这个女孩提供一切——就是说,在她身上投资,不过你还没有这样做吧?"

杰弗逊说:

"我明白你是什么意思——是否有人可能从这女孩的死中受益? 没有。正式收养的法律程序正在办理之中,但还没有完成。"

梅尔切特一字一顿缓慢地说:

"那么,如果您发生了任何意外——"

他没有把这个问题问完。康韦·杰弗逊马上回答:

"我不可能发生什么意外!我是个瘸子,但不是个没用的人。尽管医生爱拉长脸劝告我不要太劳累。不要太劳累！我壮实得像头牛！不过我知道生命是脆弱的——天啊，我有充分的理由知道！死亡会突然降临到最健壮的人身上——特别是目前的公路交通事故。但是我已有所准备。十天前我立了一份新遗嘱。"

"是吗？"哈珀警监倾身向前。

"我为鲁比·基恩留下了五万英镑让人托管，直到她年满二十五岁方可支取。"

哈珀警监睁大眼睛，梅尔切特上校的表情也一样。哈珀用几乎敬畏的声音说：

"这是一大笔钱，杰弗逊先生。"

"目前是的。"

"你把它留给一个刚认识几个星期的女孩？"

杰弗逊先生炯炯有神的蓝眼睛燃起了愤怒之火。

"同样的事我还要重复多少遍？我没有自己的亲骨肉——没有侄子或侄女，连远房的表亲都没有！我本可以留给慈善机构。但我更愿意把它留给个人。"他笑了。"灰姑娘一夜之间变成了公主！一位仙父而不是仙母。为什么不呢？这是我的钱。我挣的。"

梅尔切特上校问："还有别的遗赠吗？"

"给我的贴身男仆爱德华兹留了一小笔财产——剩下的平均分给马克和艾迪。"

"哦——对不起——剩下的那笔可观吗？"

"可能不多。具体很难说，因为投资业总在波动。除去遗产税等开支，这笔钱大约净剩五千至一万英镑。"

"是这样。"

"你们不应该认为我待他们菲薄。我说过,我的孩子结婚时我就分给了他们财产。实际上,我留给自己的很少。但是,在——在那场悲剧发生以后——我想满脑子都装满事情。我投入到商界。在我伦敦寓所的卧室里安装了一条直通我的办公室的专线。我拼命干——它使我不去想,使我觉得我的——我的伤残没有击倒我。我投入到工作中,"他的声音变得低沉,他更像是对自己而不是对听的人在说话——"后来,真是难以琢磨的嘲弄,我所做的一切都成功了!我最冒险的投机成功了。如果我赌博,我就赢。我接触的一切都变成金子。我想这大概是命运为恢复平衡所采取的嘲弄手段。"

沧桑的痕迹又一次鲜明地刻在他的脸上。

他镇定下来,望着他们苦笑。

"所以,你们瞧,我留给鲁比的钱无可争辩地应该由我按我自己的设想处置。"

梅尔切特马上说:

"毫无疑问,我亲爱的伙计,我们对此毫不怀疑。"

康韦·杰弗逊说:"很好。如果可以的话,现在该轮到我提问题了。我想听听——有关这起恶性事件的更多情况。我只知道她——那个小鲁比被发现勒死在离这二十英里远的一个屋里。"

"是这样。在戈辛顿宅邸。"

杰弗逊皱起眉。

"戈辛顿?可那是——"

"班特里上校家。"

"班特里！阿瑟·班特里？我认识他。认识他和他的妻子！几年以前在国外结识的。我没想到他们住在这里。噢,这——"

他停了下来。哈珀警监顺势说:

"上个星期二班特里上校在这家饭店用过餐。你没看见他?"

"星期二？没有。我们回来得很晚。我们去了哈登·黑德,在回来的路上吃了晚饭。"

梅尔切特说:

"鲁比·基恩从未向你提起过班特里一家?"

杰弗逊摇摇头。

"从来没有。我不相信她认识他们。她肯定不认识。除了戏剧方面和诸如此类的人,她谁也不认识。"他停下来,然后突然问:

"班特里对这件事是怎么说的?"

"他什么都不知道。昨晚他参加了保守党的聚会。尸体是今天早上被发现的。他说他这辈子从来没见过这个女孩。"

杰弗逊点点头。他说:

"这事太奇怪啦。"

哈珀警监清清嗓子。他说:

"先生,您看谁有可能干这样的事呢?"

"天啊,但愿我知道!"他额头上的血管往外突出。"这件事不可思议,无法想象！如果没有发生的话,我真不敢相信!"

"她有没有朋友——过去的朋友？周围有没有男人——威胁她？"

"我可以肯定没有。如果有，她早告诉我了。她从未有过一个固定的'男朋友'。这是她亲口对我说的。"

哈珀警监想：

"是，我相信这是她亲口对你说的！但事实很难讲！"

康韦·杰弗逊继续说：

"如果她周围真的有男人纠缠，乔西应该比谁都更清楚。她帮不上忙吗？"

"她说她无能为力。"

杰弗逊皱着眉说：

"我不禁想这一定是疯子干的——手段残忍——闯入乡宅——整件事这么不连贯，不通情理。有那号男人，虽然外表健康，可是诱骗女孩——有时候孩童——拐骗走后再杀掉。我看是性犯罪。"

哈珀说：

"哦，是的，有这样的案子，但我们没听说过这附近有这种人干这种事。"

杰弗逊接着说：

"我考虑过我曾见到过的和鲁比在一起的所有各种男人。这里的客人和外面的人——和她跳过舞的男人。他们似乎都没有一点恶意——都是寻常的那种人。她没有任何特殊的朋友。"

哈珀警监的面部依然没有什么表情，然而在他眼里还存有未被康韦·杰弗逊察觉的揣测。

他想鲁比·基恩很可能有一位特殊的朋友而康韦·杰弗逊不知道。

然而他什么也没有说。警察局长询问似的看了他一眼,然后起身说:

"谢谢您,杰弗逊先生。目前我们只需要这么多。"

杰弗逊说:

"你们会随时让我知道你们的进展情况吧?"

"会的。会的,我们会和你保持联系的。"

他们两人走了出去。

康韦·杰弗逊靠在椅子上。

他耷下眼睑,闭上了蓝色耀眼的眼睛。

一两分钟后,他的眼睑扑闪。只听他喊到:"爱德华兹!"

贴身男仆即刻从隔壁的房间走了进来,爱德华兹比任何人都更了解他的主人。其他人,甚至杰弗逊先生最亲近的人只知道他的坚强。爱德华兹知道他的软弱。他见到过康韦·杰弗逊疲惫、沮丧、厌倦生活、瞬间被虚弱和孤独击倒的情景。

"什么事? 先生?"

杰弗逊说:

"尽快和亨利·克利瑟林爵士联系。他在墨尔伯尼·阿巴斯,如果可能的话,请他今天赶到这里,不要等到明天。告诉他我有急事要见他。"

第七章

1

在杰弗逊的门外,哈珀警监说:

"长官,无论真假,我们已经找到一个动机。"

"嗯,"梅尔切特说,"五万英镑,是吗?"

"是的,长官。还有比这数目小得多的谋杀案。"

"是啊,但——"

梅尔切特上校的话还没有说完,哈珀已经明白了他的意思。

"您认为在这个案子里不可能? 喏,我也觉得这一点不可能。不过还是要查一查。"

"哦,那当然。"

哈珀又说:

"如果像杰弗逊先生所说,加斯克尔先生和杰弗逊夫人已经丰衣足食而且接受了一笔不错的收入,那么,他们好像不大可能策划这么一起骇人听闻的谋杀。"

"是这样。当然,我们必须调查他们的经济情况。我不怎么喜欢加斯克尔的长相——看上去是个尖刻、肆无忌惮的家伙——但是单凭这点还远远不足以把他定为凶手。"

"哦,是的,长官。我看他们两个谁也不可能是凶手。听乔西之言,我看他们没有下手的机会。从十点四十到午夜,他们两个一直在打桥牌,所以不可能是他们干的,我想有一个更符合情理的可能性。"

梅尔切特说:"鲁比·基恩的男朋友?"

"正是,长官。某个心怀不满的年轻家伙——也许意志不太坚强。应该是她来这里之前认识的人。如果他知道了这个收养计划,他有可能决心破釜沉舟。当他知道自己就要失去她,看到她就要去过一种完全不同的生活,他发狂了,激怒了。昨晚他约她出来见面,为此发生争吵,在完全失去理智的情况下杀了她。"

"那她怎么会在班特里家的藏书室呢?"

"我想这不是不可能的。比方说他们是驾他的车出来的。等他恢复了理智,明白自己干了些什么,那么他的第一个想法就是如何处理尸体,假如他们当时正靠近一座大房子的大门。他的想法是如果尸体在这被发现,那么通缉罪犯的调查就会集中到这座房子及四周的居民,而他就可以逍遥法外了。那女孩身体不重,他抱起来很容易。他的车里有把凿子。他撬开一扇窗,扑通一下把她放倒在炉边地毯上。因为那女孩是被勒死的,所以在车里找不到可以暴露他的血迹或痕迹。您明白我的意思了吗?长官?"

"哦,我明白,哈珀,这个可能性非常大。但还要做一件事。Cherchezl'homme①."

"什么? 哦,说得很好,长官。"

哈珀警监机智地称赞上司开的玩笑。梅尔切特上校的法语发音很标准,哈珀反倒差点没有听明白这几个字的意思。

2

"哦——呃——我说——呃——能——我能和您说会儿话吗?"拦住他们两人的是乔治·巴特利特。梅尔切特上校本来就对巴特利特先生不感兴趣,此时又急于要知道斯莱克对那女孩房间的调查情况及对饭店女服务员的询问情况,因此他没好气地大声说:

"好吧,什么事——什么事?"

小巴特利特先生往后退了一两步,嘴巴一张一合,好像池塘里的一条鱼。

"这个——呃——可能不重要,你们知道吗——觉得应该告诉你们。我找不到我的车。"

"找不到你的车? 你是什么意思?"

---

① 法语:得找到那个男人。

巴特利特先生结结巴巴好不容易说明白他的意思是他的车不见了。

哈珀警监说：

"你是说你的车被偷了？"

乔治·巴特利特感激地转向这更为温和的声音。

"是的，是这样。我的意思是，没人说得准，是不是？我是说可能有人有急事开走了我的车，没有任何恶意，如果您明白我的意思。"

"巴特利特先生，你最后一次看见你的车是什么时候？"

"这个，我刚才一直在想。有意思，怎么记事情这么难，是吧？"

梅尔切特上校冷冷地说：

"对一个智力正常的人来讲恐怕不难。我记得你刚才说过昨晚车停放在饭店的院子里——"

巴特利特先生壮起胆子打断了他的话。他说：

"是这样——是吗？"

"你说'是吗？'是什么意思？你说过在那儿。"

"哦——我是说我以为在那儿。我是说——唔，我没有出去看，您明白吗？"

梅尔切特上校叹了口气。他耐着性子说：

"让我们把这个弄清楚。你最后看见你的车——真正看见你的车是什么时候？还有，是什么牌子的车？"

"米诺安14。"

"你最后看见它是——什么时候?"

乔治·巴特利特的喉结痉挛般地上下抽动。

"一直在想。昨天午饭前还在。下午想出去兜风。可是不知怎么……你们知道是怎么回事……又上床睡觉了。之后喝茶,然后打了会儿壁球诸如此类的事,再后来去游泳。"

"当时那辆车在饭店的院子里吗?"

"大概在。我是说,通常我把车停在那,想带人出去兜兜风。我是说吃完晚饭后,但是昨晚我不走运,没事可做,根本没有开那辆老伙计出去。"

哈珀说:

"但是,就你所知,那辆车还在院子里?"

"哦,自然啦。我是说,通常我把他放在那里——不是吗?"

"如果车不在那里,你会注意到吗?"

巴特利特先生摇摇头。

"恐怕注意不到。来来去去的车很多。米诺安牌子的车也很多。"

哈珀警监点点头。他刚才随便朝窗外望了一眼。当时停在院子里的米诺安车不少于八辆——这是当年流行的便宜车型。

"你有晚上把车放回车库的习惯吗?"梅尔切特上校问。

"一般不费那个事。"巴特利特先生说,"你知道,如果天气好的话,诸如此类。把车停在车库很麻烦。"

哈珀警监看着梅尔切特上校说："长官,我一会儿在楼上见您。我去找希金斯警佐,让他记下巴特利特先生所讲的细节。"

"好吧,哈珀。"

巴特利特先生小声咕哝:

"瞧,我觉得应该让你们知道。也许重要,是不是?"

3

普雷斯科特先生给他的编外舞女提供膳宿,伙食不知如何,住宿条件却是饭店里最差的。

约瑟芬·特纳和鲁比·基恩住的房间在一条狭窄幽暗的过道的尽头。房间很小,面朝北,与饭店后面的一段峭壁相望。房间里的零散什物曾代表着三十年前套间的奢华。现在这家饭店已经现代化,卧室都有存放衣服的壁柜,因此这些笨重的维多利亚式的橡木和红木衣橱就被贬到了饭店工作人员住的房间,或者在旺季饭店客满时供客人们使用。

梅尔切特一眼看出鲁比·基恩的房间位置能使人轻而易举地不被察觉地离开饭店,一想到她可能在这种情况下离去就更为不幸了。

过道的尽头有一小段楼梯,通向一层一条同样昏暗的过道。这里还有扇玻璃门,穿过它就到了饭店的侧边阳台,这个阳台没有什么用处,因此很少有人来。从这里可以一直走到正面的主阳台,或沿一条弯曲的小径走到一条小路,这条小路最后和远处峭壁边的公路交汇。这条路线路面很差,所以很少有人使用。

斯莱克警督一直在忙于询问女服务员和检查鲁比的房间以寻找线索。他很幸运,因为房间里的一切和昨晚一模一样,丝毫未动。

鲁比·基恩没有早起床的习惯。斯莱克了解到她通常要睡到大约十点或十点半,然后打电话要早餐。由于康韦·杰弗逊一大早就找到经理,所以在女服务员进房间前警察已经把一切看管起来。她们实际上连那条过道都没去。由于是淡季,这一层的其他房间每个星期只开门清扫一次。

"能做的都做了,"斯莱克哭丧着脸说,"就是说,如果有可找的东西,我们一定能够找到,但是没有什么可找的。"

格伦郡的警察已经搜集了房间里的所有指纹,但是其中没有一个能说明问题。有鲁比的,乔西的,还有两个女服务员的——一个上早班,一个上晚班。此外还有雷蒙德·斯塔尔的几个指纹。那是当鲁比没有按时出场表演时他和乔西一道上楼找她时留下的。

房角的红木大写字台上堆放着一些信件和没用的东西。刚才斯莱克一直在仔细挑选分类,但是没有发现任何有价值的线索。信件中有一些是一位叫'莉儿'寄来的,她显然是鲁比在豪华舞厅共事时的朋友。信中谈的都是闲话琐事，说他们"很想念鲁比。芬德森先生经常探问你的情况！他非常恼怒！你走后小雷吉开始与梅来往密切。巴尼也不时问起你的情况这里的情况和以往差不多。'老抱怨'对我们姑娘和从前一样吝啬。他那天狠狠地骂了艾达一顿，因为她和一个男人来往密切。"

斯莱克认真记下了所有被提到的名字。他要对此一一进行调查——有可能会发现一些有价值的线索。梅尔切特上校同意这样做；之后上来的哈珀警监也表示赞同。此外这房间根本提供不了什么线索。

房间中央的椅子上搭着鲁比昨晚早些时候穿过的那件泡泡似的粉色舞衣，地上胡乱扔着一双粉色缎子高跟鞋和两只揉成一团的纯丝长筒袜，其中一条抽了丝。梅尔切特想起那死去的女孩腿脚上什么也没有穿。斯莱克了解到这是她的习惯。为了节省开支，她平常总在腿部用化妆品，只有在跳舞的某些时候才穿长筒袜。衣柜的门已经打开了，里面有各式各样华而不实的晚礼服，下面摆着一排鞋子。衣筐里有些脏内衣，废纸篓里有指甲壳、用脏的面巾、沾有胭脂和指甲油的化妆棉——事实上，没有什么特别的东西！一切都一目了然。鲁比·基恩曾跑上楼，换下衣服，又匆匆离去——去了哪儿呢？

约瑟芬·特纳有可能最了解鲁比的生活和朋友，可是她也帮不了什么。斯莱克警督认为这也不奇怪。他说：

"如果您告诉我的是真的，长官——我的意思是有关这件收养的事——那么乔西肯定会鼓动鲁比和以前所有的朋友及有可能把这事搞砸的人断交。我看这位伤残的先生完全被鲁比·基恩的天真可爱迷住了。要是鲁比有个厉害的男朋友——他不会接受这个老伙计。所以鲁比必须隐瞒这件事。乔西毕竟对这女孩了解不多——诸如她的朋友等等。但有一点她不会同意——鲁比和某个不理想的家伙交往而把这事情搞糟。因此鲁比完全有理由（依我看，她是一个狡猾的小妞！）隐瞒她和以前任何朋友的来往。她不会让乔西知道任何事——不然乔西就会说：'不，不行。'但是你知道女孩子是个什么样——特别是年轻的——总是为一个硬汉而犯傻。鲁比想见他。他来了，为整件事大发雷霆，然后拧断了她的脖子。"

"我想你是对的，斯莱克。"梅尔切特上校说。他极力掩盖他平常对斯莱克那种令人不快的说话方式的反感。"如果是这样，那么我们应该很容易查明这个厉害的家伙。"

"您就交给我吧，长官。"斯莱克和以往一样信心十足地说，"我去豪华舞厅找那个'莉儿'，把她的一切都翻个底朝天。我们很快就能够查明真相。"

梅尔切特上校怀疑他们是否能够。斯莱克的精力和活跃总让他感觉疲惫。

"长官，您从另一个人那里可能会获得一点情况。"斯莱克继续说，"就是那个跳舞及网球专家。他常和鲁比见面，会比乔西知道得更多。很有可能鲁比对他说了些什么。"

"这一点我已经和哈珀警监谈过了。"

"好的,长官。女服务员们交代得很彻底!她们什么也不知道。就我所知,她们瞧不起她俩。对她们的服务马马虎虎。昨晚女服务员最后在这里整理床铺、拉窗帘、略为收拾的时间是七点钟。隔壁有间浴室,您想看看吗?"

浴室在鲁比和乔西的稍大点的房间的中间。灯亮着,梅尔切特上校暗地里惊叹女人用于美容的用品如此之多。成排的洁面乳、面霜、粉底霜、皮肤营养霜!成盒的不同颜色的各种眼影,一大堆摆放不整齐的唇膏,还有发乳和增亮剂。睫毛增黑膏、睫毛液、用于眼底的蓝色增强粉,至少十二种不同颜色的指甲油,面巾、零零碎碎的化妆棉、用脏了的粉饼扑。成瓶的乳液——收缩水、化妆水、柔肤水等等。

"你的意思是说,"他无力地小声说,"这些东西女人都用?"

向来无所不知的斯莱克和蔼地点拨他:

"这么说吧,长官。一位女士一生中主要使用两种不同的色彩,一个在白天用,一个在晚上用。她们知道哪种适合自己,所以就固定使用它们。而这些职业女孩则不得不经常变换。一个晚上她们表演的舞蹈是探戈,另一个晚上又是维多利亚式的圆环裙舞,再一个晚上又是阿帕希舞,之后是一般的舞厅舞,所以化妆当然也要跟着变。"

"天哪!"上校说,"难怪生产这类油和化妆品的人发了大财。"

"是这样,钱赚得很容易,"斯莱克说,"赚得容易。当然要支出点广告费用。"

梅尔切特上校不再去想那令人眼花缭乱、时代久远的女人饰物。他对刚上来的哈珀警监说:

"那个跳舞的职业小伙子就交给你了,警监。"

"好的,长官。"

下楼时哈珀说:

"长官,您对巴特利特先生的话有什么看法?"

"关于他的车? 我看,哈珀,这个年轻人渴望别人的注意。他说的话靠不住。不过如果他真的在昨晚和鲁比驾那辆车出去又会怎么样呢?"

4

哈珀警监的态度不急不躁,令人愉快,而且绝对不干预。两个郡的警察联合办案总是困难重重,他喜欢梅尔切特上校并且认为他是个称职的警察局长,然而他对眼下能自己一个人处理问题还是感到高兴。哈珀警监的宗旨是一次不要贪太多,第一次面谈只进行例行的询问。这样做会使对方放松并使他在下一次面谈时对你不那么存有戒心。

哈珀一眼就认出雷蒙德·斯塔尔,他长相漂亮,高高的个子,灵活敏捷,赤褐色的脸上露出雪白的牙齿。他皮肤棕黑,举止优雅,待人亲切友好,在饭店里很受人欢迎。

"恐怕我帮不了多少忙,警监。当然,我和鲁比很熟。她来这里已经一个多月,我们一起练习跳舞等等。可是真的没多少可说的。她是一个让人愉快但很傻的女孩。"

"我们急于了解的是她的关系网。她和男人间的往来。"

"我猜的没错。真的,我什么也不知道! 在饭店她身边有些年轻人,但没什么特别的。瞧,她几乎总是和杰弗逊一家在一起。"

"是的,杰弗逊一家。"哈珀沉思了片刻,然后敏锐地看了一眼眼前的年轻人。"这件事你怎么看,斯塔尔先生?"

雷蒙德·斯塔尔冷静地问:"什么事?"

哈珀说:"你知道杰弗逊先生准备正式收养鲁比·基恩的事吗?"

斯塔尔像是没听说过。他撅起嘴吹了声口哨:

"这个聪明的小鬼! 哦,瞧,没有比那老头更傻的人了。"

"你这样看吗?"

"这——还能说什么? 如果那老伙计想收养一个女孩,为什么不从自己的圈子里选一个?"

"鲁比·基恩从未对你提起过这件事?"

"没有,她没提过。我知道她暗地里为某件事沾沾自喜,但是我不知道是什么事。"

"那么乔西呢?"

"哦,我想乔西一定知道是怎么回事。也许这件事从头到尾都是她策划的,乔西不是傻瓜,这个女人有头脑。"

哈珀点点头,是乔西把鲁比·基恩引来的。毫无疑问,乔西鼓励这种亲密关系。难怪那天晚上当鲁比没到场跳舞时她心烦意乱,而康韦·杰弗逊则恐慌不已。乔西害怕她的计划泡汤。

他问:

"你想鲁比会保守秘密吗?"

"很可能。关于自己的事她谈的不多。"

"她说过什么没有——任何事情——有关她的什么朋友——她以前生活中的某个人要来这里看她,或她和谁有麻烦了——你肯定明白我指的是什么。"

"我完全明白。喏,就我所知,没有那种人。她从未提到过。"

"谢谢你,斯塔尔先生。现在请你用自己的话向我确切地描述一下昨晚发生的事,好吗?"

"好的。鲁比和我一起跳了十点半的那场舞——"

"当时她看上去没有什么不寻常的地方吗?"

雷蒙德想了想。

"没有。我没有注意以后发生的事,我要照顾自己的舞伴。我确实记得我曾注意到她不在舞厅,午夜时她还没有出现。我很生气,于是去找乔西。乔西当时正在和杰弗逊一家打桥牌。她根本不知道鲁比在哪里,我觉得她有点慌乱。我注意到她急切地看了一眼杰弗逊先生。我说服乐队演奏了另一支舞曲,并到办公室让他们给鲁比的房间打电话。没有人接。于是我又去找乔西。她说鲁比可能在房间里睡着了。这真是蠢话，当然是针对杰弗逊一家人说的！她说我们一起上楼去看看，我们就一起上了楼。"

"好的，斯塔尔先生。她独自和你在一起时说了什么？"

"我只记得她看上去很生气，还说：'该死的小傻瓜。她怎么能这样做。这会毁了她的前途。你知道她和谁在一起吗？'

"我说我一点也不知道。我最后看见她时她正在和小巴特利特跳舞。乔西说：'她不会和他在一起。她在搞什么名堂？她是不是和那个拍电影的男的在一起？'"

哈珀警监赶紧问："拍电影的？他是谁？"

雷蒙德说："我不知道他的名字。他没在这住过。一个相貌不凡的家伙——他长着黑头发，看上去像个演戏的。我想他和电影业有关——他对鲁比也是这样说的。他在这里吃过一两次饭，之后和鲁比跳舞，但是我想她对他根本不了解。所以当乔西提到他时我很吃惊。我说我想他今晚没在这里。乔西说：'瞧，她一定是和谁出去了。我到底该怎样向杰弗逊一家人说呢？'我说这和杰弗逊一家有什么关系？乔西说关系很大。她还说如果鲁比把事情搞糟了，她永远都不会原谅她的。

"这时我们已经到了鲁比的房间。她当然不在，但是肯定回来过，因为她刚才穿的衣裙还在椅子上。乔西看过衣柜后说她想鲁比穿走的是那件旧的白色衣裙。通常我们跳西班牙舞时她会换上一条黑色的天鹅绒衣裙。我当时非常生气,心想鲁比这是拆我的台。乔西尽力安慰我,她说她替鲁比跳,这样那个老普雷斯科特就不会找我们两人的麻烦。于是她去换衣服,然后我们一起下楼跳了一曲探戈,样子夸张惹眼,但不会使她的脚踝太累。乔西很有毅力——因为看得出她感觉很疼。之后她又让我帮她安慰杰弗逊一家。她说这很重要。当然,我尽力而为。”

哈珀警监点点头。他说:

“谢谢你,斯塔尔先生。”

他暗地里对自己说:“很重要,的确! 五万英镑!”

他看着雷蒙德·斯塔尔离去的背影,后者步态优雅地走下阳台的台阶,途中拾起一袋网球和一副球拍。这时杰弗逊夫人手中也拿着球拍,和他一起向网球场走去。

“对不起,长官。”

席金斯警佐站在哈珀身边,上气不接下气。

警监的思路突然被打断,他吃了一惊。

“刚刚从总部传给您的消息,长官。有民工报告今早看见起火似的火焰。半小时前他们在采石场发现了一辆烧毁的汽车。维恩采石场——离这大约两英里。车里有一具烧焦的尸体的残骸。”

哈珀顿时火冒三丈。他说:

“格伦郡怎么啦? 传染上暴力啦? 不要跟我说我们现在有起大案!”

他问:“他们弄清车号了吗?”

“没有,长官。但是通过发动机号他们会查明的。他们认为是一辆米诺安 14。”

第八章

1

亨利·克利瑟林爵士几乎目不斜视地穿过尊皇饭店的休息大厅,他心事重重。下意识里他猜一定有什么事情正要发生。

亨利爵士上楼时心里想,是什么事会使他的朋友突然这么紧急地召唤他。康韦·杰弗逊不属于这类人,他想一定是发生了极不寻常的事。

见面后杰弗逊没有拐弯抹角浪费时间。他说:

"很高兴你来了。爱德华兹,给亨利爵士倒杯酒。坐下吧,老兄。我想你什么还没有听说吧?报纸还没有刊登?"

亨利爵士摇摇头,他开始好奇。

"发生了什么事?"

"谋杀。我被牵连进去,还有你的朋友班特里一家。"

"阿瑟和多利·班特里?"克利瑟林似乎不相信。

"是的,瞧,尸体是在他们家被发现的。"

康韦·杰弗逊简明扼要地把情况讲了一遍。亨利爵士一言不发地听着。他们两人都善于把握事情的关键。亨利爵士任都市警察专员时就以能迅速抓住要害而闻名。

听完后他说:"这件事很不寻常。你对班特里一家的介入怎么看?"

"就是这个让我担心。瞧,亨利,我看似乎可能是因为我认识他们才使我和这个案子有关。这是我能找到的惟一联系。我想他们两个以前谁都没有见过那女孩。他们也是这样说的,而且我们没理由不相信他们。他们根本不可能认识她。有没有可能她是在别的地方被诱骗后尸体被故意放到我的朋友家?"

克利瑟林说:

"我看这样说牵强附会。"

"但这是可能的。"另一个坚持说。

"是的,但是不可能发生。你想让我做什么?"

康韦·杰弗逊苦涩地说:

"我是个残疾人,一直在试图掩盖这一事实——拒绝面对它——但是现在它却找到了我。我不能按自己的意志行事,提问题,调查情况。我只能老老实实地待在这里,等待好心的警察向我施舍点零零碎碎的消息。顺便问一下,你认识拉德福郡的警察局长梅尔切特吗?"

"是的,我见过他。"

亨利的脑海里闪现出一个人。那是在他穿过休息厅时注意到的一张脸和身影。一个背部直挺、面孔熟悉的老妇人。他想起了和梅尔切特的最后一次见面。

"你的意思是让我做一个业余侦探？这个我不在行。"

杰弗逊说：

"说得对，你不是业余的。"

"也不再是职业的。我现在已经退休了。"

杰弗逊说："那就更简单了。"

"你是说，如果我现在还在伦敦警察厅就无法介入？太对了。"

"事实上，"杰弗逊说，"凭你的经验，你完全可以插手这个案子。你给予的任何合作都会受到欢迎。"

克利瑟林慢慢说：

"我同意，这在礼节上是允许的。可你到底想要什么，康韦？找出杀害那女孩的凶手？"

"正是如此。"

"你自己没有一点儿头绪？"

"没有。"

亨利爵士缓缓说：

"你可能不相信我的话，不过现在楼下的休息厅里就坐着一位解谜专家。在这方面她比我强，而且十有八九她可能知道内情。"

"你说什么？"

"在楼下的休息厅里，靠左边第三根柱子，坐着一位老妇人，她有一张宁静可爱的老处女的面容和一个能探测人类不轨隐秘的头脑,她把它视为生活的一部分。她叫马普尔小姐,来自圣玛丽·米德村,距离戈辛顿一英里半,她是班特里家的朋友——而且,说起犯罪的事,她是最在行的。"

杰弗逊皱起浓眉,眼睛盯着他说:

"你在开玩笑。"

"没有,我没开玩笑。刚才你提到梅尔切特。我最后一次看见梅尔切特时,乡下发生了一起悲剧。一个女孩据说是自己溺死的。警方怀疑不是自杀,而是谋杀。警方的猜测完全正确,警方还认为知道是谁干的。和我在一起的还有马普尔老妇人,她慌乱不安。她说恐怕警方抓错了人。她虽然没有证据,可是她知道谁是凶手。她递给我一张纸,上面写了一个名字。老天爷作证,杰弗逊,她说对啦!"

康韦·杰弗逊的眉毛缩得更紧了。他不相信地咕哝:

"我猜那是女人的直觉。"他怀疑地说。

"不,她不这么说。她管这叫专业知识。"

"这是什么意思?"

"这个,你知道,杰弗逊,我们警察工作要用到它。如果发生了入室盗窃案,通常我们非常清楚是谁干的——也就是说,我们了解那伙惯犯。我们了解某类盗窃犯的某种特殊行为。马普尔小姐拥有一些非常有趣的、尽管有时候是微不足道的、取自于乡下生活的类似的经验。"

杰弗逊表示怀疑地说:

"对一个在演戏环境中长大,并且一生可能从未到过乡下的女孩,她能知道些什么呢?"

"我认为,"亨利·克利瑟林爵士坚决地说,"她也许知道一些。"

2

亨利爵士出现在马普尔小姐面前时,她露出满脸喜色。

"哦,亨利爵士,在这儿见到您真是太荣幸了。"

亨利爵士殷勤地说:

"见到您才是我的荣幸。"

马普尔小姐红着脸小声说:"您真是太好了。"

"您住在这里?"

"噢,实际上是我们。"

"我们?"

"班特里夫人也在这里。"她目光敏锐地看着他。"你听说了吗?看得出来你已经知道了。太可怕了,是不是?"

"多利·班特里在这里干什么?她丈夫也在吗?"

"他不在。他俩对这件事的反应非常不同。班特里上校真是个可怜的人,一旦发生类似的事,他就把自己关在书房里,或到农场去。你瞧,就像乌龟一样把头缩进去,希望没人注意他。多利则大不一样。"

"实际上,多利几乎很快活,是不是?"亨利爵士说,他非常了解他的老朋友。

"这个——呃——是的。可怜的人儿。"

"她带你一块儿来这里,是想让你为她把帽里的兔子变出来吧?"

马普尔小姐镇定自若地说:

"多利认为换个环境对她有好处,她不想一个人来。"她看着他,眼里发出柔和的光亮。"不过,你对她的描述很准确。然而我根本帮不上什么忙,所以这叫我很难堪。"

"你没有一点儿头绪?乡下没有类似的事吗?"

"我对这件事知道的还不多。"

"我想这个我可以补上。马普尔小姐,我想听听您的看法。"

他把事情的过程简短地叙述了一遍。马普尔小姐兴致勃勃地听着。

"可怜的杰弗逊先生,"她说,"多么悲伤的故事。那些可怕的事故。留下他瘸腿活着似乎比让他死了更残忍。"

"确实是。这也是为什么他的所有朋友如此敬慕他的原因,他战胜痛苦和身体残疾的不屈不挠的精神着实让人感动。"

"是啊,他真了不起。"

"只有一件事让我无法理解,那就是他为什么突然间对那个女孩倾注了那么多的爱心。当然,她可能具有一些极为优秀的品质。"

"可能没有。"马普尔小姐平静地说。

"你这样认为吗?"

"我想她的品质和这没有关系。"

亨利说:

"你知道,他可不是那种卑鄙的老家伙。"

"哦,不,不!"马普尔小姐的脸变得绯红。"我根本不是那个意思。我想说的是——他非常渴望——他只不过在找一个聪明可爱的女孩填补他死去的女儿的位置——而这个女孩看到了自己的机会,为此她使出了浑身解数!我知道这听上去很冷酷,但这类事我见的太多了。比如说哈伯脱先生家的那个年轻女佣。一个很普通的女孩,很安静,懂礼貌。哈伯脱先生的姐姐被叫去护理一个临死的亲属,等她回来后发现那女孩变得盛气凌人,坐在起居室里又说又笑,不戴帽子或围裙。哈伯脱小姐严厉地说了她,那女孩极为无礼。后来,老哈伯脱先生把他姐姐叫去,对她说他认为她为他料理家务太久了,他要另作安排,让哈伯脱小姐目瞪口呆。

"乡下出了如此的丑闻,而可怜的哈伯脱小姐却不得不离开,她极为不适地在伊斯特本住下。人们当然会说闲话,但是我相信没有发生任何不轨的事——那老家伙只不过觉得听一个年轻活泼的女孩说他多么聪明有趣远比听他姐姐没完没了地絮叨他的毛病更令他愉快,尽管他姐姐是个理财能手。"

马普尔小姐停了一会儿后又说：

"还有药店的巴杰尔先生。他惟恐对那位卖洗涤用品的年轻小姐照顾不周。他对他太太说他们必须待她如女儿一般并让她搬进来住。巴杰尔太太根本不这么看。"

亨利爵士说："要是她是他生活阶层里的一个女孩——一个朋友的孩子——"

马普尔小姐打断了他。

"哦！但是在他看来那也不会令人满意。这就像科菲图阿国王和那个乞丐少女①。如果你真的是个非常孤独疲惫的老人，而且如果你自己的家人忽视了你，那么，善待一个完全被你折服的人（这样说非常夸张，但我希望您明白我的意思）——瞧，那样有趣得多。它使你觉得自己很伟大——是一位仁慈的君主！受恩惠的人很可能头晕目眩，而这当然让你自我感觉相当不错。"她停了停又说："你知道，巴杰尔先生给他店里的那个女孩买了一些确实叫人难以置信的礼物，一只钻石手镯和一台非常昂贵的收音电唱两用机。这些东西花了他的不少积蓄。然而，巴杰尔太太比可怜的哈伯脱小姐聪明得多（婚姻，当然起作用），她不厌其烦打探出一些情况。当巴杰尔先生发现那女孩和赛马场的一个令人讨厌的年轻人约会并把手镯当掉的钱给了那小伙子后——这件事就这样无声无

① 故事题材来自英国伊丽莎白时代的民歌，国王科菲图阿认为讨饭女是他要寻找的纯洁的妻子，并把他的王冠赠与她。

息地过去了。接下来的圣诞节巴杰尔送给他太太一个钻戒。"

她那令人愉快的、敏锐的目光和亨利爵士的目光相遇。他猜她讲这些是想暗示什么。他说：

"你是不是说如果鲁比·基恩的生活里有位年轻人，我的朋友对她的态度就会改变？"

"这是可能的。我敢说一两年后，他也许会亲自为她操办婚事——尽管否定的可能性更大——男人通常都很自私。但是我可以肯定，如果鲁比·基恩有个男朋友，她会尽力隐瞒不让别人知道。"

"那位年轻人也许对此很不高兴？"

"我想这是最合理的解释。你知道，她的表姐，今天上午去过戈辛顿的那个年轻女人，她看上去无疑对死了的那女孩非常生气。你告诉我的这些情况解释了一切。毫无疑问，她渴望从中受益。"

"事实上她是一个冷血动物？"

"也许这个结论太草率。这可怜的人儿不得不自己谋生，你不能期望她多愁善感——因为一个富有的男人和女人——你是这样描述加斯克尔先生和杰弗逊夫人的——还要骗取一大笔从道义上讲根本不属于他们的钱。我看特纳小姐是个头脑冷静、雄心勃勃的年轻女人，她脾气好，非常懂得生活之乐。有点像杰西·戈尔登，那个面包师的女儿。"

"她怎么啦？"亨利爵士问。

"她接受过保育员的训练，嫁给了某人家一个从印度回来休假的儿子。我想她是一个很不错的妻子。"

亨利爵士又回到前面的话题,他说:

"你想是什么使我的朋友康韦·杰弗逊突然产生了这种'科菲图阿情结',如果您愿意这样说的话。"

"也许有原因。"

"什么原因?"

马普尔小姐有点犹豫地说:

"我想——当然这只是猜测——也许他的女婿和儿媳想再次结婚。"

"对此他不可能反对吧?"

"哦,不,不反对。但是,你必须从他的角度来看这件事。他遭受过可怕的打击和损失——他们也一样。这三个丧失亲人的人生活在一起,维系他们的东西就是他们共同蒙受过的灾难。我亲爱的母亲过去常说,时间是最好的良药。加斯克尔先生和杰弗逊夫人还年轻,不知不觉地他们开始坐立不安,他们讨厌把他们和过去的痛苦系在一起的纽带。老杰弗逊感觉到了他们的这种变化,他突然无缘无故地渴望慰藉。男人通常很容易觉得被人忽视。在哈伯脱先生家是哈伯脱小姐走人。在巴杰尔家,巴杰尔太太推崇招魂术,总是出去参加降魂会。"

"我必须说,"亨利爵士懊悔地说,"我不喜欢你把我们所有的人都归为一般常见的那一类人。"

"亨利爵士,无论在什么地方,人的本性都相差无几。"

亨利爵士厌恶地说:

"哈伯脱先生！巴杰尔先生！还有可怜的康韦！我讨厌介入个人的私事。不过你们乡下有没有和我这样卑微的人相类似的人呢？"

"哦，当然有，布里格斯先生。"

"谁是布里格斯？"

"他是老宅的一级园丁，是那里曾经有过的最好的人。他对手下的园林工什么时候在偷懒知道得清清楚楚——非常不可思议！他手下只有三个男劳动力和一个小男孩，可那个地方比六个人管理得还好。他栽种的香豌豆多次获得头等奖。他现在退休了。"

"像我一样。"亨利爵士说。

"但是他还做点临时工——为他喜欢的那些人。"

"啊，"亨利爵士说，"又像我，正是我目前干的——临时工——帮一位老朋友。"

"两位老朋友。"

"两位？"亨利爵士看上去有点迷惑不解。

马普尔小姐说：

"我想你指的是杰弗逊先生。可我指的不是他，我指的是上校和班特里夫人。"

"哦——哦——我明白了——"他机警地问："所以我们开始谈话时你说班特里夫人是'可怜的人儿'？"

"是的。她还没有意识到是怎么一回事。我知道是因为我有更多的经验。瞧，亨利爵士，在我看来，像这类的犯罪案子很有可能永远都无法破解。就像布赖顿市的卡车谋杀案。要是发生这种事，那班特里一家就惨了。

班特里上校和几乎所有的退役军人一样,异常敏感。对公众的舆论极为重视。有段时间他可能注意不到,但不久他就会明白一切。这儿一点怠慢,那儿一点冷落,邀请被拒绝,编造的借口——然后,等他慢慢地明白了,他就会缩回壳内,日子非常难熬。"

"马普尔小姐,听听我对您的话的理解对不对。你是说,因为尸体是在他家里发现的,人们就会认为他和这件事情有关?"

"当然! 我相信他们现在就在到处说。他们还会越说越起劲。人们会冷淡班特里一家,会回避他们。这就是为什么我们必须查明真相,为什么我和班特里夫人一起来这里的原因。公开的谴责是另一回事——对一个士兵来说这很容易对付。他愤慨,他有机会拼搏。而这种流言蜚语会击垮他——会击垮他们两个。所以我们必须查明真相。"

亨利爵士说:

"你知不知道为什么尸体在他家里? 一定有某种解释。某种联系。"

"哦,当然。"

"人们最后在这里看见那女孩的时间大约是十一点差二十。根据验尸报告,午夜时她已经死了。戈辛顿离这里大约十八英里。其中十六英里的路面很好走,直到拐离公路。马力大的车用不了半小时就可以跑完这段路程。事实上所有的车都可以用三十五分钟跑完。可是我不明白为什么有人要在这里杀死她,然后把尸体运到戈辛顿,或先把她带到戈辛顿,然后在那儿勒死她。"

"你当然不明白,因为经过本来就不是这样。"

"你是说那个开车带她出去的家伙在勒死她后决定把尸体扔进附近第一个方便可行的屋里?"

"我不这样看。我认为这里面有一个周密的计划。而计划出现了偏差。"

亨利爵士目不转睛地看着她。

"为什么那个计划出了偏差?"

马普尔小姐非常抱歉地说:

"常有这样的怪事发生,不是吗?如果我说这个计划的差错是由于人的脆弱和敏感所致,你不会相信吧?但是我相信情况就是这样——而且——"

她停了下来。"班特里夫人来了。"

第九章

和班特里太太一起来的还有阿德莱德·杰弗逊。班特里太太走向亨利爵士,她喊道:"是你?"

"没错,是我。"他和善地握住她的双手。"B 夫人,我无法告诉你我对所发生的一切感到多么难过。"

班特里太太机械地说:

"不要叫我 B 夫人!"然后继续说:"阿瑟没有来。他把整件事看得太严重了。马普尔小姐和我来这做点调查。你认识杰弗逊夫人吗?"

"当然认识。"

他们握完手后,阿德莱德·杰弗逊说:

"你去看过我公公了吗?"

"是的,去过了。"

"太好了。我们都替他担心。这件事对他震动太大。"

班特里太太说:

"我们去阳台上边喝边谈。"

他们四个人走到阳台的尽头,马克·加斯克尔正独自一人坐在那儿。

他们随便交谈了几句,等酒水一到,班特里太太便以她往日热衷于直接行动的热情切入主题。

"我们可以开始谈吗?"她说,"我的意思是,我们都是老朋友——除了马普尔小姐,而她对犯罪无所不知。还有,她愿意帮忙。"

马克·加斯克尔有些迷惑地望着马普尔小姐。他犹豫不定地说:

"你——呃——写侦探小说吗?"

他晓得写侦探小说的那些人最让人难以相信。身穿过时的老处女服饰的马普尔小姐看上去尤其像这一类人。

"哦,不,我还没有那个本事。"

"她非常了不起。"班特里太太急切地说,"现在我不能解释,不过她确实了不起。好了,艾迪,我想知道一切。这个女孩到底怎么样?"

"嗯——"阿德莱德·杰弗逊停顿了一下,她看了看马克,然后略带笑意地说:"你真是直截了当。"

"你喜欢她吗?"

"不,当然不喜欢。"

"她到底怎么样?"班特里太太转而又问马克·加斯克尔。马克谨慎地说:"一个普通的淘金者。她对自己那一套很在行,把杰弗拴得牢牢的。"

他们两人都称杰弗逊为杰弗。

亨利爵士不满地看着马克,他想:

"不谨慎的家伙。说话不应该这样没有遮掩。"

他一直都对马克·加斯克尔存有一丝不满。这个男人有魅力,但是不可靠——说得太多,有时候爱自夸——

亨利爵士认为不能太相信他。他有时候想康韦·杰弗逊是否会有同样的感觉。

"难道你们就不能做点什么?"班特里太太追问。

马克干巴巴地说:

"如果我们能及时料到的话。"

他看了一眼阿德莱德,后者脸色微红。他的那一瞥带有责备。

她说:

"马克认为我应该早就料到要发生的事。"

"艾迪,你丢下老小孩独自一个人的时间太多了。网球课、还有其他等等。"

"唉,我必须做些锻炼。"她歉意地说,"无论怎样,我做梦也不会想到——"

"是的,"马克说,"我们两个谁都想不到的。杰弗一直是个头脑冷静、明智的人。"

马普尔小姐开口了。

"男人,"她用那种老处女的口吻提及男性,仿佛后者是一种野生动物,"经常不像他们看上去那么冷静。"

"你说得对。"马克说,"不幸的是,马普尔小姐,我们没有意识到这一点。我们不知道老伙计是怎么看待那些枯燥无味、俗气的小把戏。但是有人让他高兴、感兴趣,我们也高兴。我们认为她不会妨碍谁。不会妨碍谁!但愿我拧断了她的脖子!"

"马克,"艾迪说,"注意你的嘴。"

他朝她迷人地露齿一笑。

"我想我必须注意。不然人们会认为我真的拧断了她的脖子。唉,我想反正我已经受到怀疑了。如果有人对那女孩的死感到高兴的话,那就是艾迪和我。"

"马克,"杰弗逊夫人半嗔半笑地喊了起来,"你真的不能这样!"

"好吧,好吧。"马克和解似的说,"但是我真的想说出自己的想法。我们尊敬的老岳父决定把五万英镑投到这个肤浅、愚蠢、狡猾的小猫身上。"

"马克,你不能这样——她已经死了。"

"是的,她死了,可怜的小东西。话说回来,她为什么不能用老天爷赋予她的武器呢?我有什么权利去评价别人?我自己的一生中就干过不少令人讨厌的事。这样说吧,鲁比有权预谋策划,而我们太傻,没有及早看穿她的把戏。"

亨利爵士说:

"当康韦告诉你他打算收养这个女孩时,你怎么说的?"

马克伸出双手。

"我们能说什么?艾迪总像个小妇人,她自制力极强,在这件事上表现得很勇敢。我决心以她为榜样。"

"要是我就会大吵大闹!"班特里太太说。

"唉,说实话,我们也没有权利大吵大闹。钱是杰弗的。我们不是他的骨肉。他对我们一直都非常好。所以我们除了吞食苦果,别无办法。"接着他又谨慎地加上一句:"但是我们不喜欢小鲁比。"

阿德莱德·杰弗逊说：

"要是另一类的女孩就好了。你们瞧，杰弗有两个教子。如果是其中的任何一个——那，我们也能理解。"她又有点怨恨地加上一句："杰弗似乎一直都非常喜欢彼得。"

"当然。"班特里太太说，"我早就知道彼得是你第一个丈夫的孩子——但是我总是忘记，总把他看成是杰弗逊先生的外孙。"

"我也是。"阿德莱德说。马普尔小姐在椅子里转了一下身，阿德莱德声音里的某种口气引起了她的注意。

"都是乔西的错，"马克说，"是乔西把她弄来的。"

阿德莱德说：

"哦，不过你肯定认为这不是故意的，是吧？喏，你一直都很喜欢乔西。"

"是的，我确实喜欢她。我觉得她讨人喜欢。"

"她把那女孩弄来纯系偶然。"

"你知道，乔西是个非常有头脑的人。"

"没错，不过她无法预料——"

马克说：

"是的，她无法预料。我承认这点。我并没有指责她策划了这一切。但是我敢肯定她早在我们之前就看出了事情的苗头，而她对此一直保持沉默。"

阿德莱德叹了口气说：

"我想这件事谁也不能怪她。"

马克说：

"哦,我们什么事都怪不上任何人!"

班特里太太问:

"鲁比·基恩很漂亮吗?"

马克盯着她。"我以为你已经见过——"

"哦,是的,我见过她——她的尸体。可是你知道,她是被勒死的,无法看清——"她颤栗起来。

马克边想边说:

"我认为她一点也不漂亮。如果不化妆肯定不行。一张干瘦的脸,没什么下巴,牙齿七高八低,难以归类的鼻子——"

"听上去令人作呕。"班特里太太说。

"哦,不,不是的。像我所说的,化了妆后,她看上去相当不错。你说呢,艾迪?"

"是的,相当不错,粉红粉红的,她的蓝眼睛很漂亮。"

"没错,孩子般的天真眼神,她的睫毛涂得浓黑,使她的蓝色眼睛很突出。当然,她的头发染过。真的,我一想到颜色——无论如何,在人为的颜色方面——她伪装得有些像罗莎蒙德——你们知道,她是我的妻子。我敢说就是这一点吸引了老伙计。"

他叹了口气。

"唉,这是一件不愉快的事。糟糕的是艾迪和我对她的死真的感到高兴——"

他压住了阿德莱德的抗议。

"艾迪,这样没用;我知道你是怎么想的。我的感觉和你一样。而我不想假装！但是同时,我对杰弗真的非常担心,如果你明白我的意思。这件事对他打击很大。我——"

他停下来,眼睛盯着从休息厅通往阳台的门。

"好啦,好啦——看谁来了。艾迪,你真是个肆无忌惮的女人。"

杰弗逊夫人回过头,叫了一声,然后站起来,脸上泛起红晕。她沿着阳台快步朝一位高个子的中年男人走去,那人有张瘦瘦的、黝黑的脸,正犹豫不决地向四周张望。

班特里太太说:"那不是雨果·麦克莱恩吗?"

马克·加斯克尔说:

"正是雨果·麦克莱恩。别名威廉·多宾。"

班特里太太小声说:

"他很忠实,是不是?"

"像狗一样忠实。"马克说,"艾迪只须吹声口哨,雨果就会一路小跑从世界任何一个角落赶来。他总希望有一天她会嫁给他。我敢说她会的。"

马普尔小姐愉快地看着他们的背影。她说:

"哦。浪漫的恋情?"

"属于好的传统的那一类,"马克向她保证说,"已经有好几年了,艾迪是那种女人。"

他想想又补充道:"我猜今天早上艾迪给他打了电话。她没有告诉我。"

爱德华兹沿着阳台一步步走来,他在马克身边停下。

"对不起,先生。杰弗逊先生想见您。"

"我马上就来。"马克从椅子上跳起。

他朝众人点点头,说了声"回头见"便离去了。

亨利爵士倾身歪向马普尔小姐。他说:

"你看谁是这起犯罪的主要受益人?"

马普尔小姐若有所思地看着站在一边和老朋友说话的阿德莱德·杰弗逊说:

"你瞧,我认为她是一个非常专注的母亲。"

"哦,她是的。"班特里太太说,"她全身心都在彼得身上。"

"她是那种谁都喜欢的女人,"马普尔小姐说,"那种可以一而再再而三结婚的女人。我不是指那种专讨男人喜欢的女人——那个完全不同。"

"我明白你的意思。"亨利爵士说。

"你们两人的意思是,"班特里太太说,"她是一个好听众。"

亨利爵士笑了。他说:

"那么马克·加斯克尔呢?"

"啊,"马普尔小姐说,"他是个狡猾的家伙。"

"请问乡下可有类似的人?"

"卡吉尔先生,那个建筑工人。他哄骗很多人接受他为他们的房子做一些他们从未想过的项目。而他为此向他们收取了高额费用!但是他总能合理地解释他的账单。一个狡猾的家伙。他和钱结了婚。依我看,加斯克尔先生也一样。"

"你不喜欢他。"

"不,我喜欢他。大多数女人都会喜欢他。不过他骗不了我。我认为他是一个很有吸引力的人,但是,他话太多,这一点也许不明智。"

"不明智这个词太恰当了。"亨利爵士说,"马克不注意的话会自找麻烦。"

一个身穿白色法兰绒衣服的高个黑皮肤年轻人顺着通向阳台的台阶走上来,他停了一分钟,看着阿德莱德·杰弗逊和雨果·麦克莱恩。

"而那一位,"亨利爵士乐于施教地说,"我们可以称他为有关的当事人。他是个职业网球手和舞蹈家——雷蒙德·斯塔尔,鲁比·基恩的搭档。"

马普尔小姐感兴趣地看着他说:

"他长得很帅,是不是?"

"大概是吧。"

"别那么可笑,亨利爵士。"班特里太太说,"什么大概是,他就是帅。"

马普尔小姐小声说:

"我想杰弗逊夫人说过她一直在上网球课。"

"简,你这样说是什么意思?"

马普尔小姐还没来得及回答这个直率的问题,小彼得·卡莫迪已经从阳台走了过来。他对亨利爵士打招呼:

"我说,你也是侦探吗?我见过你和那位警监谈话——那个胖子是个警监,是不是?"

"非常对,我的孩子。"

"有人告诉我说你是从伦敦来的非常了不起的侦探。苏格兰场的厅长或类似什么的。"

"书里的警察厅厅长通常都是一点没用的笨蛋,是不是?"

"哦,不,现在不同了。人们不再取笑警察了。你知道凶手是谁吗?"

"恐怕还不知道。"

"彼得,你觉得这件事很来劲是吗?"班特里太太问。

"哦,非常有趣。给生活带来一点变化,不是吗?我一直在到处搜索,看能否找到任何线索,可惜我不走运。不过我有一个纪念品。你们想看看吗?奇怪,妈妈让我把它扔掉。我确实认为做父母的有时候太苛刻了。"

他从口袋里掏出一个小火柴盒。推开后,他向大家展示他的宝贝。

"看,一块指甲壳。她的指甲!我准备把它命名为'被谋杀的女人的指甲'并把它带回学校。你们不认为这是一个很好的纪念品吗?"

"你从哪里弄来的?"马普尔小姐问。

"瞧,这真是有点运气。因为我当时不知道她会被人谋杀。这件事发生在昨晚吃饭前。鲁比的指甲勾住了乔西的披巾,被扯裂了。妈妈替她把指甲剪掉,然后交给我,让我把它扔进废纸篓,我本来是想这么做的,可是我却把它放进了衣兜。今天早上我想了起来,于是看它是否还在口袋里,结果还在。所以现在我把它留下来做纪念。"

"恶心。"班特里太太说。

彼得礼貌地说:"哦,你这样看吗?"

"还有别的纪念品吗?"亨利爵士问。

"嗯,我不知道。也许有吧。"

"说明白点,年轻人。"

彼得沉思地看着他,然后拿出一个信封,从信封里他又抽出一条褐色的东西。

"这是那个叫乔治·巴特利特的小伙子的一截鞋带。"他解释道。"今天早上我看见他的鞋放在门外就弄了点以防万一。"

"万一什么?"

"万一他是那个凶手呗。他是最后看见她的人,要知道,这总是令人非常怀疑。现在该吃晚饭了吧?我饿坏了。午茶和晚饭相隔的时间似乎总是那么长。喂,那是雨果叔叔。我不知道妈妈叫他来了。我猜是她叫他来的。她碰到难办的事总是这样。乔西来了。嗨,乔西!"

约瑟芬·特纳沿着阳台走来,她停了下来,看见班特里太太和马普尔小姐在场,她好像非常吃惊。

班特里太太欢快地说:

"你好,特纳小姐。我们来这探听点消息!"

乔西内疚地朝周围看看。她压低嗓音说:

"这事糟透了。还没人知道。我的意思是,报纸还没有刊登。我想大概人人都会向我提问,这太别扭了。我不知道自己该说什么。"

她向马普尔小姐投去求助的目光。马普尔小姐说：
"是啊，恐怕你的处境将会很困难。"

乔西感激她的这种同情。

"瞧，普雷斯科特先生对我说：'不要谈这件事。'说起来容易，但是肯定每个人都会问我，而你又不能得罪人，是不是？普雷斯科特先生说他希望我能像往常一样做事——这件事使他不太高兴，我当然想尽力而为。而且我真不明白为什么要把这件事全归罪于我。"

亨利爵士说：

"特纳小姐，你不介意我向你提一个直率的问题吧？"

"哦，请随便问吧。"乔西说这话时有点言不由衷。

"就整件事来讲，你和杰弗逊夫人及加斯克尔先生之间有什么不快吗？"

"您的意思是关于这起谋杀？"

"不，我指的不是谋杀。"

乔西站在那里，手指叠在一起。她闷闷不乐地说：

"唉，有也没有。如果您明白我的意思。他俩谁也没说什么。但是我觉得他们怪罪于我——我的意思是，杰弗逊先生非常喜欢鲁比。可这不是我的错，对不对？这样的事时有发生，我事先做梦也没想到会发生这样的事，一点也没想到——我非常吃惊。"

她的话让人觉得似乎的的确确出于真心。

亨利爵士和蔼地说：

"我非常相信这一点。但是一旦发生了这样的事呢？"

乔西仰起头来。

"嗒，这是运气，是不是？有时候每个人都有权享有一点运气。"

她略带质问似的看看每一个人，然后穿过阳台，走回饭店内。

彼得说：

"我想不是她干的。"

马普尔小姐喃喃道：

"那块指甲壳很有意思。要知道，这件事一直困扰着我——怎么解释她的指甲。"

"指甲？"亨利爵士问。

班特里太太解释说："死了的那个女孩的指甲非常短，如简所说，这当然有点不对头。像她那样的女孩毫无疑问都留长指甲。"

马普尔小姐说：

"不过，如果她撕裂了一处，当然她可能会把其余的指甲剪齐。他们在她的房间里发现指甲壳了吗？"

亨利爵士好奇地看着她说：

"等哈珀警监回来后我问问他。"

"从哪回来？"班特里太太问。"他没有去戈辛顿吗？"

亨利爵士严肃地说：

"没有去。又发生了一场悲剧。采石场有一辆烧毁的汽车——"

马普尔小姐屏住气。

"车里有人吗?"

"恐怕有。"

马普尔小姐边想边说:

"我想是那个失踪的女童子军——佩兴斯——不对,帕梅拉·里夫斯。"

亨利爵士盯着她。

"马普尔小姐,你究竟为什么这样想?"

马普尔小姐的脸变得绯红。

"是这样,电台播出这个女孩从家里失踪了——从昨晚。她家在戴恩利谷;离这儿不太远。人们最后看见她是在戴恩伯里丘陵举行的女童子军集会上。这确实很接近。实际上,回家的路上她必须经过戴恩茅斯。所以,这一切都很吻合,是不是?我的意思是,可能她看到——或听到了——任何人都不允许看或听的事情。如果是这样,她当然会被凶手视为危险而必须除掉。像这样的两件事之间一定有联系,你不这样看吗?"

亨利爵士压低声音说:

"你认为是——第二起谋杀?"

"为什么不呢?"她平静地看着他。"当一个人干了一次杀人的勾当,他还会干第二次,不是吗?甚至第三次。"

"第三次?你不会认为还会有第三起谋杀吧?"

"我认为这很有可能……是的,我认为可能性极大。"

"马普尔小姐，"亨利爵士说，"你让我感到害怕。你知道谁会被谋杀呢?"

马普尔小姐说:"我有一个非常好的主意。"

第十章

1

哈珀警监站在那里看着那堆被烧得变了形的金属。烧毁的汽车总让人作呕，更不要说还有一具烧焦的黑乎乎的可怕尸体。

维恩采石场位置偏僻，远离居住区。虽然采石场离戴恩茅斯的直线距离实际上只有两英里，但通往它的惟一一条路只比马车道稍好一点，狭窄弯曲，凹凸不平。这个采石场已废弃很久了，顺这条小道来的只有那些寻找黑莓的不速之客。这个地方是处理汽车非常理想的场所。要不是一个名叫艾伯特·比格斯的工人上班途中碰巧看到天空中的火光，恐怕这辆车几个星期也不会被人发现。

艾伯特·比格斯还在现场。虽然他该说的已在不久前说过了，可是他还是事无巨细地不断重复那动人心魄的故事。

"我说，这是怎么回事？我的天，那到底是怎么回事？

火光冲天。开始我想可能是营火,可是谁会在维恩采石场点营火?不对,我说,这一定是场大火。那到底是怎么回事?那个方向没有住房和农场啊。就在维恩那边,就在那儿,没错。当时我不知道该做什么,这时格雷格警士正好骑车过来,我就告诉他了。这时火焰已经全没了,不过我能说出在哪个方向。我对他说火光冲天。我说可能是垛干草。很可能有人踏上去,踩着了。我怎么也想不到会是辆车——更想不到会有人被活活烧死在里面。这是一场大悲剧,这一点毫无疑问。"

格伦郡的警察一直忙碌着。照相机的卡嗒声不断,烧焦了的尸体的位置被仔细地记下,之后警医开始细致的检查。

警医弹着手上的黑灰向哈珀走来,他双唇紧闭。

"干得很彻底。"他说,"只剩下一只脚和一只鞋的残骸。虽然我们能从骨胳得到点情况,但是目前还无法断定尸体是男的还是女的。不过那只鞋是黑色搭扣带的那种——女学生穿的那种。"

"邻郡有一个女学生失踪了,"哈珀说,"离这很近。十六岁左右的女孩。"

"可能是她。"警医说,"可怜的孩子。"

哈珀不自在地说:"她还活着吗?当——"

"不,不,我想没有。没有试图逃出的迹象。尸体就倒在车座上——一只脚伸着。我看她是死后被放在那里的。然后有人将车点燃以图销毁证据。"

他停了下来,问:

"我可以走了吗?"

"可以,谢谢。"

"好吧,那我走了。"

警医朝他的车走去。哈珀则走到正忙碌着的一个警佐身旁,此人是车案专家。

后者抬起头。

"案情很清楚,长官。车上浇了汽油,是故意点燃的。那边的树篱里有三个空罐头盒。"

不远处另一个人正在仔细整理从残骸里搜寻出来的小东西。一只烧焦的黑皮鞋和一些烧焦变黑的残块。看见哈珀走近,他抬起头说:

"长官,看这个。这个能说明问题。"

哈珀用手接过那个小东西。他说:

"女童子军制服上的纽扣?"

"是的,长官。"

"嗯,"哈珀说,"好像确实能说明问题。"

哈珀为人正直善良,他感觉要呕吐。先是鲁比·基恩,然后是这个孩子,帕梅拉·里夫斯。

他又问自己:

"格伦郡怎么啦?"

下一步他首先给自己的警察局长打电话,然后又和梅尔切特上校取得了联系。帕梅拉·里夫斯是在拉德福郡失踪的,而尸体却是在格伦郡发现的。

再下一件事不好做。那就是他必须通知帕梅拉·里夫斯的父母……

2

哈珀警监按响了前门门铃,他仔细地打量布雷塞德的正面。

一个整洁的小别墅,大约占一英亩半的漂亮花园。近二十年中这种住房在乡下随处可见。退伍军人、退休的公务员——等等这类人。他们是有教养的正派人;说得不好听些就是他们或许有点呆板沉闷。他们在孩子的教育上倾其所有。谁也不会把他们和悲剧联系在一起。而现在悲剧却找上门来了。他叹了口气。

他被马上领进了客厅,屋里有一位蓄着白色髭须、表情严肃的男人和一位双眼哭得红肿的女人,看见他后他们立刻站了起来。里夫斯夫人急切地问:

"你有帕梅拉的消息了?"

她马上又缩了回去,警监怜悯的目光仿佛是个打击。

哈珀说:

"恐怕你们得有接受坏消息的心理准备。"

"帕梅拉——"那女人的声音发颤。

里夫斯少校脱口说:

"孩子——出事了?"

"是的,先生。"

"你是说她死了?"

里夫斯夫人嚷道：

"哦,不,不。"接着是一阵哭泣。里夫斯少校搂过妻子。他的嘴唇颤抖,眼睛询问地看着低着头的哈珀。

"一场事故?"

"不完全是,里夫斯少校。她是在废弃的采石场一辆烧毁的汽车里被发现的。"

"在车里? 采石场?"

他非常吃惊。

里夫斯夫人完全崩溃了,她倒在沙发上,剧烈地抽泣。

哈珀警监说：

"你们如果愿意,我可以等一会儿再说。"

里夫斯少校厉声说：

"这是怎么回事? 是暴行?"

"看上去是这样,先生。所以如果不太为难你们的话,我想问你们几个问题。"

"好吧,照你说的做。如果你说的是真的,我们不应该浪费时间。但是我无法相信。谁会去伤害一个像帕梅拉这样的孩子?"

哈珀木然地说：

"你们已向当地警方报案你们女儿失踪的事。她离开这里去参加童子军集会,你们等她回来吃晚饭。是这样吗?"

"是的。"

"她应该坐公共车回来?"

"是的。"

"她的童子军伙伴说,集会结束后,帕梅拉说她要经戴恩茅斯去伍尔沃思,然后乘晚班车回家。你们觉得她这样做很正常吗?"

"哦,是的。帕梅拉很喜欢去伍尔沃思。她经常去戴恩茅斯购物。公共车沿公路走,离这大约只有十五英里。"

"就你们所知,她没有别的计划?"

"没有。"

"她是不是要在戴恩茅斯见什么人?"

"不,我肯定她不会。如果是,她会告诉我们的。我们说好等她回来吃晚饭。所以当很晚时候还不见她回来,我们就打电话报了警。她平常不这样。"

"您的女儿有没有不良的朋友——也就是说,你们不喜欢的朋友?"

"没有,从来没有这方面的麻烦。"

里夫斯夫人含泪说:

"帕梅拉只是个孩子。她比她的实际年龄要小得多。她喜欢游戏等等。她一点也不成熟。"

"你们认识一位住在戴恩茅斯尊皇饭店的乔治·巴特利特先生吗?"

里夫斯少校睁大眼睛。

"从未听说过他。"

"你想你女儿认识他吗?"

"肯定不认识。"

接着他厉声问："他和这件事有什么关系？"

"他是那辆被烧毁的米诺斯14汽车的车主。"

里夫斯夫人喊道："那么他一定是——"。

哈珀立刻说：

"今天早些时候他报案说他的车不见了。昨天午饭时间车还在尊皇饭店的院子里。谁都有可能开走那辆车。"

"难道没有人看见谁开走的？"

警监摇摇头。

"饭店一天里进进出出的车有数十辆。而米诺斯14是最常见的车。"

里夫斯夫人哭道：

"难道你们没有采取什么行动？难道你们不想设法找到那个——那个干这件事的魔鬼？我的小姑娘——哦，我的小姑娘！她不是被活活地烧死的，是吧？哦，帕梅拉，帕梅……"

"她没有痛苦，里夫斯夫人。我向你保证车点燃时她已经死了。"

里夫斯生硬地问：

"她是怎么被杀害的？"

哈珀意味深长地瞥了他一眼。

"不知道。大火烧毁了所有有关的证据。"

他转向倒在沙发上的六神无主的女人。

"相信我，里夫斯夫人，我们正在尽一切努力。这只是调查核实的问题。迟早我们会找到昨天在戴恩茅斯见过你女儿的人以及和她在一起的人。你们知道这需要时间。我们会收到有关在这、那，或任何地方见过一个女童子军的数十、数百份报告。这需要筛选和耐心——但是我们最终会查明真相，别担心。"

里夫斯夫人问：

"她——她在哪里？我能看她吗？"

哈珀警监又看了一眼女人的丈夫。他说：

"警医正在处理有关的一切事情。我建议你丈夫和我一起去履行所有的手续。同时，请你们尽量回忆帕梅拉所说过的任何话——也许当时你们没有注意的一些事会对了解案情有所帮助。你知道我的意思——就是某个偶然的字或词语。这是你们能帮助我们的最好办法。"

他们两个朝门口走去，里夫斯指着一张照片说：

"那就是她。"

哈珀专注地看着这张照片。照片上是一组曲棍球队员。里夫斯指出站在队伍中间的帕梅拉。

"一个好孩子。"哈珀边想边看着照片上扎辫子的女孩那张诚挚的脸。

他想到了车里被烧焦的尸体，嘴巴顿时紧紧抿在一起。

他暗自发誓决不让谋杀帕梅拉·里夫斯的案子成为格伦郡的另一个不解之谜。

他想鲁比·基恩的事有可能是她自找的，而帕梅拉·里夫斯则完全是另一码事。如果他曾见过一个好孩子，那就是她。他发誓不找出杀人凶手决不罢休。

第十一章

一两天后,梅尔切特上校和哈珀警监隔着前者的大桌子相视而坐。哈珀来马奇·本哈姆的目的是交换情况。

梅尔切特情绪低落地说:

"好啦,我们知道我们的进展——或者说没有进展!"

"说没有进展更合适,长官。"

"我们要考虑两起死亡,"梅尔切特说,"两起谋杀。鲁比·基恩和帕梅拉·里夫斯。可怜的孩子,没多少东西能验明她的身份,但足够了。她的父亲已证实那只没有烧毁的鞋是她的,还有这颗女童子军制服上的纽扣。这家伙是个恶魔,警监。"

哈珀警监轻声说:

"您说得对,长官。"

"让我稍感安慰的是车被点燃前她无疑已经死了。这可以从她被扔在车座上躺着的样子推断出来。可怜的孩子,可能是被击中头部。"

"也可能是被勒死的。"哈珀说。

梅尔切特紧盯着他。

"你这样看吗?"

"喏,长官,有类似的谋杀案。"

"我知道。我已见过那女孩的双亲——她的母亲都快疯了。这件事太令人痛苦了,我们要解决的问题是——这两起谋杀有联系吗?"

"我认为肯定有。"

"我也这么看。"

警监陈述他的观点:

"帕梅拉·里夫斯参加了在戴恩伯里丘陵举行的女童子军集会。她的同伴说她的表现一切正常;她很愉快。之后她没有和三个同伴乘公共车返回梅德切斯特。她对她们说她要经戴恩茅斯去伍尔沃思,然后从那乘车回家。从丘陵地到戴恩茅斯的公路绕内地一大圈。帕梅拉·里夫斯走的是一条捷径,需要穿过两处空旷地,一条羊肠小道,然后就到了戴恩茅斯尊皇饭店附近。这条小路实际上经过饭店的西面。因此她有可能无意中听到或看到了什么——有关鲁比·基恩的事——因而对凶手造成威胁——比方说,她听到凶手约鲁比·基恩在那天晚上十一点钟见面。他发觉被这个女学生听到了而不得不杀人灭口。"

梅尔切特上校说:

"哈珀,你是说杀害鲁比·基恩是有预谋的——不是偶然的。"

哈珀警监表示同意。

"我相信是这样,长官。虽然看上去像另一回事——像是突发暴力,一时的冲动或嫉妒——但是现在我觉得情况并不是这样。不然我不知道该如何解释里夫斯家孩子的死因。如果她看见了案发事实，那就是夜里很晚的时候，大约晚上十一点左右。这个时候她还在尊皇饭店干什么？九点钟她还没有回家时，她的父母已经开始担心了。"

"另外一个可能就是她去戴恩茅斯见一个她父母和朋友都不认识的人，而她的死和另一起凶杀毫无关系。"

"不，长官，我不认为如此。你想想那位马普尔老小姐当即指出这两起案件有关联。她马上就问车里的尸体是否就是那个失踪的女童。她确实是个非常精明的老妇人。瞧，这些老妇人有时候非常敏锐，能抓住要害。"

"这样的事马普尔小姐已做过不止一次了。"梅尔切特上校干巴巴地说。

"此外，还有那辆车，长官。我看她的死一定和尊皇饭店有关。那是乔治·巴特利特先生的车。"

两人再次相互望了一眼。梅尔切特说：

"乔治·巴特利特？有可能！你怎么看？"

哈珀条理分明地开始陈述他的看法。

"人们最后看见鲁比·基恩时，她和乔治·巴特利特在一起。他说她去了她的房间（从屋里她换下的衣服可以证明）。那么她有没有可能换完衣服后和他一道出去了？他们是不是有约在先——比如说，在晚饭前谈好的，而帕梅拉·里夫斯碰巧听到了？"

梅尔切特说："他直到第二天早上才报案说他的车不见了，当时他说得非常含糊不清，假装记不起最后看见他的车的确切时间。"

"这有可能是耍滑头,长官。依我看,他要不是一个假装糊涂的聪明人,要不就是一个大笨蛋。"

梅尔切特说:"我们需要的是动机。而他没有杀害鲁比·基恩的任何动机。"

"是啊——我们总是在这里卡壳。动机。据说所有来自布里克思韦尔豪华舞厅的报告也没有发现什么情况?"

"正是!鲁比·基恩没有特别的男朋友。斯莱克已经做了彻底的调查——说句公道话,很彻底。"

"是的,长官。确实很彻底。"

"如果有可找的东西,他早就翻出来啦。可是那里什么也没有。他有一份与她往来最频繁的舞伴的名单——都审查过,没有问题。都是些没有恶意的小伙子,并且都能够拿出那天晚上不在犯罪现场的证据。"

"啊,"哈珀警监说,"不在犯罪现场的证据。这正是我们要面临的问题。"

梅尔切特目光犀利地看着他。"是吗?这方面的调查已交给你了。"

"是的,长官。已经调查了——非常彻底。我们还请求了伦敦方面的协助。"

"结果怎么样?"

"康韦·杰弗逊先生或许认为加斯克尔先生和小杰弗逊夫人很富有,而事实并非如此。他们两个手头非常拮据。"

"真的?"

"是的,长官。康韦·杰弗逊先生说的不假,他儿女结婚时他给了他们不少钱。但那是十年以前的事。小杰弗逊先生自以为擅长投资。实际上他并没有进行过任何风险大的投资,而且他运气不佳,不止一次判断失误。他的财产一直在减少。我敢说那个寡妇量入为出都很困难,把儿子送入一家好学校就读很不容易。"

"难道她没有请求公公的帮助吗?"

"没有,长官。就我所知,她和他住在一起,因而不用负担家庭开支。"

"而他的身体很糟,人们认为他恐怕活不了多久?"

"是这样,长官。现在说马克·加斯克尔先生。他是个彻头彻尾的赌棍。很快就把他妻子留下的钱挥霍殆尽。他目前的处境极为窘困。他急需要钱——而且是一大笔钱。"

"我不喜欢这家伙的长相,"梅尔切特上校说,"属于放荡的那一类——是不是?而且他确实有动机。两万五千英镑意味着必须除掉那个女孩。没错,这确实是个动机。"

"他们两人都有动机。"

"我没有指杰弗逊夫人。"

"我知道你指的不是她,长官。不管怎样,他俩都有不在犯罪现场的证据,他们不可能做案。"

"你有他俩那天晚上活动的详细情况吗?"

"有。先说加斯克尔先生,他和岳父及杰弗逊夫人一起吃晚饭,然后一块儿喝咖啡,这时鲁比·基恩来了。然后他说他要写信,就走开了。实际上他开车在饭店前面兜了一圈。他坦率地告诉我他无法整晚打桥牌。老头儿对桥牌太着迷。所以他说写信只是个借口。鲁比·基恩一直和其他人在一起。马克·加斯克尔回来时,她正在和雷蒙德跳舞。跳完舞后她和他们一起喝了点饮料,然后和小巴特利特走了。加斯克尔和其他人开始分拨玩牌。当时是差二十分钟十一点——午夜后他才离开牌桌。这一点很肯定,长官。每个人都这样说:他的家人、服务员,所有的人。因此,不可能是他。杰弗逊夫人也有不在犯罪现场的证据。她也没有离开过牌桌。所以可以排除他们,排除他们两个。”

梅尔切特上校向后仰身,他拿着裁纸刀敲打着桌面。

哈珀警监说:

“也就是说,假如那女孩是午夜前被害的话。”

“海多克是这样说的。他是这方面的专家,经验丰富。他说是就是。”

“也许有别的原因——健康、生理特异或者别的什么。”

“我跟他说。”梅尔切特看了一眼手表,拿起电话拨了一个号。他说:“现在海多克应该在家。假设那女孩是午夜前被害的?”

哈珀说:

“那么也许我们还有机会。午夜后还有人进进出出。假设加斯克尔叫那女孩到外面某个地方和他见面——比如说在十二点二十分钟。他溜出去一会儿,勒死她,再回来,等晚些时候再处理尸体——比如在清晨。"

梅尔切特说:

"用车载上她跑到三十多英里外的班特里家的藏书室? 算了,这不可能。"

"是的,这不可能。"警监立刻承认。

这时电话铃响了。梅尔切特拿起听筒。

"喂,海多克,是你吗? 鲁比·基恩。她有没有可能是在午夜后被害的?"

"我说过她是在十点和午夜之间被害的。"

"是的,我知道,不过可以延长一点,是不是?"

"不,不能延长。我说她是午夜前被害的,就是午夜前,不要试图窜改医学证据。"

"是的。不过,会不会有某种生理现象? 你明白我的意思。"

"我明白你不知道你自己在说什么。那个女孩很健康,一切都正常——我不会说她不正常以帮助你们找一个可怜的替死鬼兴师问罪。不要不服气,我知道你的那一套。顺便说一句,那女孩是不情愿被勒死的——也就是说,她先被用了药,强力的麻醉剂。她死于窒息,不过首先被麻醉了。"海多克挂断了电话。

梅尔切特郁闷地说:"唉,只能如此。"

哈珀说:

"本来我以为又找到了一个可能的线索——但是又消失了。"

"是什么？谁？"

"严格地说，他是你的人，长官。名叫巴兹尔·布莱克，住在戈辛顿宅邸附近。"

"厚颜无耻的狂小子！"一想起巴兹尔·布莱克的傲慢无礼，上校的脸阴沉下来。"他和这件事有什么关系？"

"他好像认识鲁比·基恩。他经常在尊皇饭店吃饭——和那个女孩跳舞。你记得当人们发现鲁比不见时乔西对雷蒙德说的话吗？'她是不是和那个拍电影的男的在一起？'我查明她指的是布莱克。你知道，他就职于莱姆维尔制片厂。乔西这样说并没有什么依据，她只是认为鲁比很喜欢他。"

"大有希望，哈珀，大有希望。"

"听起来并不那么乐观，长官。巴兹尔·布莱克那天晚上在制片厂参加聚会。你知道那是怎么回事。八点钟从鸡尾酒开始一直到空气浑浊得看不透，人人都喝得醺醺然。据盘问过他的斯莱克警督说，他大约是在午夜时分离开制片厂的。午夜时分鲁比·基恩已经死了。"

"有人证明他说的话吗？"

"我猜参加聚会的大多数都极为——呃——疲倦。那个——呃——现在还在别墅的年轻女人——黛娜·李小姐——她说他说的是实话。"

"她的话没有一点意义！"

"是的，长官，可能没有。总的来说，参加聚会的其他人都证明他的话属实。只是关于时间，说法有些含糊不清。"

"制片厂在哪里?"

"莱姆维尔,长官。伦敦西南三十英里。"

"哼——和到这儿的距离差不多?"

"是的,长官。"

梅尔切特上校揉揉鼻子。他非常不悦地说:

"这样的话,似乎我们可以把他排除在外。"

"我想是的,长官。没有证据表明他真的被鲁比·基恩所吸引。实际上,"哈珀警监拘谨地咳了一声——"他好像完全迷恋于自己的年轻小姐。"

梅尔切特说:

"好吧,剩下的就是'X',一个不为人知的谋杀者——如此不为人知,连斯莱克也发现不了他的蛛丝马迹!或者是杰弗逊的女婿,他也许想干掉那个女孩——但是没有机会这样做。儿媳的情况同他一样。或者是乔治·巴特利特,他没有不在犯罪现场的证据——可是不幸的是,他也没有动机。或者是年轻的布莱克,他有不在犯罪现场的证据,而且没有动机。全说完啦!不,等等,我想我们应该考虑那个跳舞的——雷蒙德·斯塔尔。毕竟他经常和那女孩见面。"

哈珀慢慢说:

"我不信他对她有多大兴趣——不然他就是一个出色的演员。实际上,他也有不在犯罪现场的证据。在差二十分十一点直到午夜时分,人们差不多都看见过他和不同的舞伴跳舞。我看我们无法针对他立案。"

"实际上，"梅尔切特上校说，"我们无法针对任何人立案。"

"如果我们能找到一个动机，乔治·巴特利特是我们最大的希望。"

"你和他谈过？"

"是的，长官。他是个独生子，被他的母亲宠坏了。一年前她死时给他留下一大笔钱。他花得很快。他软弱但不邪恶。"

"或许是精神上的。"梅尔切特满怀希望地说。

哈珀警监点点头。他说：

"你想过没有？这有可能解释整个案情。"

"你的意思是，精神病罪犯？"

"是的，长官。有的家伙专干勒死年轻女孩的勾当。医生对此有个很长的名称。"

"这可以解决我们的所有问题。"梅尔切特说。

"对此解释我只有一点不太喜欢。"哈珀警监说。

"哪点？"

"太容易了。"

"嗯——是——也许。那么，像我开头说的，我们的进展情况怎样？"

"没有任何进展，长官。"哈珀警监说。

第十二章

1

康韦·杰弗逊醒后伸了伸懒腰。他挥舞着长而有力的双臂。自从那次事故后,他身体里的所有力量似乎都凝聚到了双臂上。

透过窗帘可以看到早晨柔和的光线。

康韦·杰弗逊笑了。他每一次醒来心情总是这样愉快。他精神饱满,又恢复了内在的活力。又是一天!

他这样躺了一会儿,然后按响了那个特殊的铃。突然他被一阵记忆淹没。

当灵敏的爱德华兹轻手轻脚走进屋时,他听到了主人的呻吟声。

爱德华兹的手停在了窗帘上。他说:"您是不是感觉疼,先生?"

康韦·杰弗逊粗声粗气地说:

"不疼,接着做,把它们拉开。"

明亮的光线顿时洒满房间。爱德华兹非常善解人意，他没有看他的主人。

康韦·杰弗逊面孔冷峻，他躺在那里回忆着，思考着，眼前又浮现出鲁比那张漂亮、无生气的脸，只是他脑海里没有用无生气这个形容词。昨天晚上他还会说她单纯。一个天真、单纯的孩子！而现在呢？

康韦·杰弗逊突然感觉很疲倦。他闭上眼睛，低声喃喃：

"玛格丽特……"

这是他已不在人世的妻子的名字。

2

"我喜欢你的朋友。"阿德莱德·杰弗逊对班特里太太说。

她俩坐在阳台上。

"简·马普尔是个非常了不起的女人。"班特里太太说。

"她人也好。"艾迪笑着说。

"有人说她爱传播丑闻，"班特里太太说，"可她真的不是这样的人。"

"她只不过对人性的评价很低。"

"可以这样说。"

阿德莱德·杰弗逊说："那件事情真让人腻味，现在可好了。"

班特里太太盯着她。

艾迪解释说：

"如此高的评价——把一个微不足道的东西理想化！"

"你指的是鲁比·基恩？"

艾迪点点头。

"我不想待她不公，她本人并没有恶意。可怜的小爬虫，她必须为她想得到的东西而奋斗。她并不坏，一个普通人，性情温和，而且很笨。不过她是一个坚定的淘金者。我想她并没有策划或预谋，她只不过能很快地利用机会，而且她知道怎样去吸引一个孤独的老人。"

班特里太太边想边说："康韦一定很孤独吧？"

艾迪不安地动了一下。她说：

"他是孤独——今年夏天。"她停了一下，然后脱口而出："马克会说这全是我的错。也许是，我不知道。"

她沉默了一会儿，然后又抑制不住，艰难地、几乎是不情愿地说：

"我——我的生活非常不顺。我的第一个丈夫迈克·卡莫迪在我们婚后不久就去世了——我被击垮了。你知道，彼得是在他死后出生的。弗兰克·杰弗逊是迈克的挚友，所以我们常见面。他是彼得的教父——这是迈克的要求。我非常喜欢他——而且——哦！也为他感到遗憾。"

"遗憾？"班特里太太显然很感兴趣。

"是的,就是如此。听起来很奇怪,是吧?弗兰克总是要什么有什么。他的父母亲对他好得不能再好。可是——我该怎么说呢?你瞧,老杰弗逊先生的个性太强。和他在一起,你就不可能有自己的个性。弗兰克有这种感觉。

"我们结婚后他十分快乐——非常快乐。杰弗逊先生很慷慨,他给了弗兰克一大笔钱——说他想让他的孩子独立,不想让他们等到他死后。他太好了——如此大方。但这一切来得太突然。他应该一步步慢慢地让弗兰克适应独立。

"而弗兰克却昏了头。他想像他父亲一样出色,善于料理钱财和生意,有远见卓识,而且成功。当然,他做不到。确切地说,他并没有拿那笔钱投机,而是在不适当的时候把它投到了不适当的地方。要知道,如果你不善于理财的话,钱会流失得很快,快得让人吃惊。弗兰克的损失越多,他越想通过某个聪明之举把它捞回来,因此造成恶性循环,情况越来越糟。"

"可是,亲爱的,"班特里太太说,"难道康韦不能给他忠告吗?"

"他不想要忠告。他就是想凭自己的能力干好。这也是为什么我们从未让杰弗逊先生知道的原因。弗兰克死时留下的很少——只给我留下很小的一笔钱。我——我也没有让他父亲知道。你看——"

她突然转了一下身。

"告诉他会使我有出卖弗兰克的感觉。弗兰克也一定不高兴我这样做。杰弗逊先生病了很长一段时间。他康复后还以为我是一个非常富有的寡妇。我一直都瞒着他。这是一个自尊的问题。他知道我对钱精打细算——但是他赞成我这样做,认为我是个勤俭节约的女人。当然,自从那以后彼得和我实际上一直和他住在一起,他负责支付我们所有的生活开销,所以我从来不必担心。"

她慢慢说:

"这些年来,我们一直像一家人——只是——只是——你明白(还是不明白?)在他眼里,我从来都不是弗兰克的遗孀——我一直是弗兰克的妻子。"

班特里太太明白她的意思。

"你是说他从未接受他们的死?"

"没有。他一直都很了不起,但是,他是靠拒绝承认死亡来战胜自己的痛苦。马克是罗莎蒙德的丈夫,我是弗兰克的妻子——虽然弗兰克和罗莎蒙德实际上不再和我们在一起——但他们还是存在。"

班特里太太柔声说:

"这真是了不起的忠诚。"

"是的。我们这样过了一年又一年,但是突然——今年夏天——我感觉不对劲了。我感觉——我感觉要叛逆。这样说真可怕,不过我不愿意再去想弗兰克!一切都过去了——我和他的爱及伴侣情,还有他死后带给我的痛苦。这些我都曾经有过,而现在不再有了。

"很难描述这种感觉。它像是要抹掉过去,重新开始。我想成为我自己——艾迪,我还年轻健壮,能够游戏、游泳、跳舞——是一个人。还有雨果(你认识雨果·麦克莱恩?)——他是个宝贝,一直想娶我,可是,我没有真正考虑过——但是今年夏天,我确实开始考虑这件事——并不认真——只是朦朦胧胧……"

她停下来,摇摇头。

"所以我想我忽视了杰弗。我的意思并不是真正忽视他,但我的心思不在他身上。当我看到鲁比能让他开心,我很高兴,这样我便能更自由地去做自己想做的事。我做梦也没想到——当然做梦也没想到——他会如此——如此地——迷恋她!"

班特里太太问:

"当你真的发觉以后?"

"我目瞪口呆——绝对目瞪口呆!恐怕还生气。"

"要是我就会生气。"班特里太太说。

"你知道,还有彼得。彼得的整个前途全指望杰弗。杰弗把他看成自己的孙子,或者这只是我自己的想法。他并不是他的孙子,连亲属都不是。一想到他将被剥夺继承权!"她放在膝头上的那双好看有力的手有点发抖。"我的感觉就是这样——那个粗俗的掘金小傻瓜——哦!我真该杀了她!"

她惊愕地停下来,漂亮的淡褐色眼睛乞求似的害怕地看着班特里太太。她说:

"我这样讲真可怕!"

雨果·麦克莱恩从他身后轻轻走来,他问:

"什么事讲起来真可怕?"

"坐下,雨果。你认识班特里太太,对吧?"

麦克莱恩和她打过招呼。他低声追问:

"什么事讲起来真可怕?"

艾迪·杰弗逊说:

"但愿我杀了鲁比·基恩。"

雨果·麦克莱恩想了一会儿,然后说:

"不,如果我是你,我不会这么说。这可能会被人误解。"

他沉静的灰色眼睛意味深长地看着她。

他说:

"你必须小心谨慎,艾迪。"

他的口气带有警告的意味。

3

几分钟后,马普尔小姐从饭店里出来找班特里太太,雨果·麦克莱恩和阿德莱德·杰弗逊则一起沿着小径往海边走去。

马普尔小姐坐下后说:

"他好像非常投入。"

"已经投入多年了! 他是那种男人。"

"我知道。和伯里少校一样。他追求一位英印混血寡妇追了十年。成为朋友圈里的笑话! 最后她终于同意嫁给他——但不幸的是,在离他们婚期还有十天的时候,她和司机私奔了! 一个非常好的女人,一向通情达理。”

“人的行为确实非常古怪。”班特里太太表示同意。“简,你刚才在这就好了。艾迪·杰弗逊向我讲述了她自己的一切——她丈夫如何弄光他所有的钱,但是他们从来没告诉过杰弗逊先生。又说今年夏天,一切都变了——”

马普尔小姐点点头。

“是的,我猜她对被迫生活在过去的阴影里开始反叛? 毕竟,什么事情都有个时间限度。你不能永远坐在窗帘紧闭的屋里。我猜杰弗逊夫人拉开了窗帘,脱下了寡妇的丧服,而她的公公对此非常不快。他觉得被遗弃在冰天雪地里。我想他根本没有意识到是谁使她发生了这样的变化。反正他对此肯定不高兴。所以,像巴杰尔老先生一样,当他妻子开始学习招魂术,他已经伺机待发。任何愿意聆听他说话的年轻漂亮女孩都行。”

班特里太太问:“你认为鲁比是她的表姐乔西有意弄来的吗? 这是一个阴谋?”

马普尔小姐摇摇头。

“不,我根本不这么认为。我想乔西还不具备预测人的反应的能力。她这方面很愚笨。虽然她精明、实际,但思想狭窄,绝对无法预测未来,而且常被未来弄得目瞪口呆。”

“似乎每个人都被这件事弄得目瞪口呆。”班特里太太说,“艾迪——还有马克·加斯克尔。”

马普尔小姐笑了。

"我敢说他有他的目标。一个胆大妄为的家伙,眼神游移不定! 无论他以前多么爱他的妻子,他也不是那种能服丧鳏居几年的男人。我认为他们两个人在老杰弗逊先生永恒记忆的遏制下都不安分。"

"只是,"马普尔小姐嘲讽地加上一句,"对男人来讲更容易。"

4

此时,马克和亨利·克利瑟林爵士的谈话证实了这个评语。

马克以他特有的率直单刀直入。

"我刚刚才明白,"他说,"我是警方的第一号嫌疑人! 他们正在调查我的经济困境。你知道,我身无分文,或者差不多如此。如果老杰弗按期在一两个月后去世,艾迪和我按期分配财产,一切就万事大吉。实际上,我欠了很多债……如果破产降临,那会很惨! 如果能避免,就是另外一回事——我将出人头地,成为一个非常富有的人。"

亨利·克利瑟林爵士说:

"马克,你是个赌徒。"

"一直都是。敢于冒一切风险——这就是我的座右铭。是的,对我来讲,那个可怜的孩子被人勒死是件幸运的事。这不是我干的。我不是杀人犯。我想我杀不了任何人。我太随和了。不过恐怕我无法使警方相信这点!我必须祈祷,等待犯罪调查员的回音!我有动机,也处境尴尬,我没有堂而皇之的道德顾虑!很难想象我现在还没有被关起来!那个警监的眼睛非常厉害。"

"你有一样有用的武器,不在犯罪现场的证据。"

"不在犯罪现场的证据是世界上最靠不住的东西!无辜的人从来都不需要不在犯罪现场的证据!此外,全凭死亡时间,或类似的情况,我敢说如果三个医生说那女孩是午夜被杀的,至少可以找到六个医生信誓旦旦地说她是凌晨五点被害的——那时,我不在犯罪现场的证据又管什么用?"

"不管怎样,玩笑是可以开的。"

"品味很低,是不是?"马克开心地说,"实际上,我很害怕。想想这是谋杀!不要以为我不同情老杰弗。我同情他。虽然打击很大,不过这样更好,总比等他查明了她的真相要好。"

"你是什么意思? 查明她的真相?"

马克眨眨眼。

"那天晚上她能去哪儿? 我敢打赌,她准是去见一个男人。杰弗不会高兴的。他绝对不会高兴。如果他发现她在欺骗他——发现她不是那个看上去天真无邪的小女孩——喔——我岳父是个古怪的人。他自制力极强,不过,那个自制力也会崩溃。要是那样的话——小心点!"

亨利爵士好奇地看了他一眼。

"你喜欢他,还是不喜欢他?"

"我非常喜欢他——同时我又恨他。我会尽力解释。康韦·杰弗逊是个喜欢控制周围一切的人。他是一位仁慈的君主,善良、大方、有感情——但他是基调,其他人都得跟着他亦步亦趋。"

马克·加斯克尔停了一会儿又说:

"我爱我的妻子。我再也不会对任何人有同样的感觉。罗莎蒙德是阳光、欢笑和鲜花。她死时我感觉自己就像是一个在拳击场被击倒的拳手。但是裁判数数的时间太长了。我毕竟是个男人。我喜欢女人。我不想再结婚——一点也不想。唉,不过这没有什么关系。我只须小心谨慎——但是我确实玩得很开心。可怜的艾迪就不行了。艾迪是一个真正的好女人,是那种男人愿意娶而不是一起睡的女人。给她一点机会,她就会再次结婚——而且很快乐,并且使对方也快乐。但是老杰弗把她永远看成是弗兰克的妻子——并迫使她也这么想。他本人不知道,但我们宛如狱中的囚徒。很久以前我就悄悄地逃了出来。艾迪今年夏天才逃出来——让他震惊不小。他的世界粉碎了。结果是——鲁比·基恩。"

他情不自禁地唱道:

可是她在坟墓里,哦,
让我如何是好!

我们去喝一杯,克利瑟林。

亨利爵士想:马克·加斯克尔不成为警方的怀疑对象才怪呢。

第十三章

1

梅特卡夫大夫是戴恩茅斯最有名的外科医生之一。他尊重病人，并总能让病房里的人心情愉快。他是个中年人，声音平和悦耳。

他在认真倾听哈珀警监说话，并谦和准确地回答他提出的问题。

哈珀说：

"那么，梅特卡夫大夫；我可以确定杰弗逊夫人对我说的是实话？"

"是的，杰弗逊先生的健康状况不稳定。这些年来他一直在无情地给自己施加压力。他决心和其他人一样地生活，因此他的生活节奏比正常的同龄人要快得多。他拒绝休息、放松、慢慢来——拒绝按我和他的医疗顾问提出的任何建议去做。结果他成了一台使用过度的机器——心脏、肺、血压全都过于疲劳。

"你是说杰弗逊先生根本不听别人的？"

"是的。我不记得我责备过他。我对自己的病人不说责备的话,警监,但是一个人与其懒散确实还不如忙碌。我的很多同事都是这样,而且我可以保证这个办法并不坏。在戴恩茅斯这样的地方,人们看到的大多是另一种情况:病弱者死死抓住生命不放,他们害怕过于劳累,害怕流动的空气,零星的细菌,甚至害怕举棋不定的一顿饭!"

"我看确实是这样。"哈珀警监说,"那么就是说,康韦·杰弗逊从身体上讲还健壮——或者说是肌肉强壮。顺便问一句,他精神好的时候能做些什么?"

"他的手臂和肩膀很有力量。那场事故发生以前他是个很有力量的人。他能非常灵敏地操纵轮椅,如果依靠拐杖,他能自己在房间里活动——比方说,从他的床挪到椅子那里。"

"像杰弗逊先生这样受伤的人难道不能安假肢吗?"

"他的情况不行。他的脊椎骨损伤了。"

"我明白了。让我再总结一下。从体格上来讲,杰弗逊健康强壮。他感觉良好,是这样吗?"

梅特卡夫点点头。

"但是他的心脏不好。任何疲劳过度或劳累、震惊或突然的惊吓都可能导致他突然死亡,是这样吗?"

"差不多。过度的劳累正在慢慢摧毁他。因为他疲倦时也不休息,这加重了他的心脏病。劳累不可能突然致他于死地,但是突然的震惊或惊吓可能很容易做到。所以我已经明确地警告过他的家人。"

哈珀警监缓慢地说：

"然而事实上震惊并没有夺走他的生命。大夫，我的意思是，不可能还有比这更令人震惊的事了，对吧？而他还活着。"

梅特卡夫大夫耸耸肩。

"我知道。不过，警监，你要是我就会知道，有很多病例确实让人琢磨不定。本该死于震惊和冻馁的人却没有死于震惊和冻馁等等等等。人体比我们想象的要强悍得多。而且，根据我的经验来看，物理上的震扰通常比精神上的震扰更致命。简单地说，突然砰的关门声可能比获悉自己喜爱的女孩死于某种暴力行为更能致杰弗逊先生于死地。"

"为什么呢？"

"一条坏消息几乎总能引起听者的防御反应，它使听的人麻木。他们最初无法接受。完全醒悟需要一点时间。但是砰的摔门声、壁橱里突然跳出一个人、过马路时一辆车突然驶过——这些都是即时行为。用外行话讲——吓得心都快跳出来了。"

哈珀警监一字一顿地说：

"不过谁都知道，那女孩的死所带来的震惊或许能轻而易举导致杰弗逊先生死亡？"

"哦，很容易。"大夫好奇地看着对方。"你不会是想——"

"我不知道我在想什么。"哈珀警监恼火地说。

2

"但是你必须承认,先生,这两件事非常吻合,"稍迟时候他对亨利·克利瑟林爵士这样说,"一箭双雕。先是那个女孩——她的死也会带走杰弗逊先生——在他还没有机会更改遗嘱之前。"

"你认为他会更改遗嘱?"

"这个你应该比我更了解,先生。你说呢?"

"我不知道。鲁比·基恩到来以前,我无意中知道他已把钱留给了马克·加斯克尔和杰弗逊夫人。我不明白为什么现在他要改变主意。不过当然他有可能这么做。也许他会把钱留给某个养老院,或者捐助给年轻的职业舞蹈演员。"

哈珀警监表示同意。

"你绝对想不到一个男人的脑子里装的是些什么——特别是当他在处理钱财而不必考虑道德义务的时候。他的情况是他们之间没有血缘关系。"

亨利爵士说:

"他喜欢那个男孩——小彼得。"

"你认为他把他当孙子看吗?这一点你比我更清楚,先生。"

亨利爵士慢慢说:

"不,我不这么认为。"

"还有一件事我想问问你,先生。我自己无法判断,但是他们是你的朋友,所以你应该知道。我很想知道杰弗逊先生到底有多么喜欢加斯克尔先生和小杰弗逊夫人。"

亨利爵士皱皱眉。

"我不太明白你的意思,警监?"

"喏,是这么回事,先生。抛开他们之间的关系,把他们看成是毫不相干的人,那么他喜欢他们吗?"

"啊,我明白你的意思。"

"是的,先生。没有人怀疑他非常依恋他们两个——但是,依我看,他依恋他们是因为他们分别是他女儿的丈夫和儿子的妻子。但是假如他们中的一位再结婚呢?"

亨利爵士想了想说:

"你提的这一点很有意思。我不知道。我倾向于认为——这只是我个人的看法——这不会使他的态度有很大改变。他会祝愿他们幸福,他不会抱怨。但是,我想此外他对他们不会有更多的兴趣。"

"他对他们两人的态度都会是这样吗,先生?"

"我想是的。几乎可以肯定他对加斯克尔先生的态度是这样,而且我认为杰弗逊夫人的情况也是如此,但不这么肯定。我认为他喜欢她这个人。"

"性别和喜欢有关。"哈珀警监故作聪明地说,"把她当女儿看比把加斯克尔先生当儿子看更容易,反过来一样。女人很容易把女婿做为家里的一员接受,而很少把儿媳当女儿看。"

哈珀警监继续说：

"先生,您不介意和我一起沿这条小径去网球场吧？我看见马普尔小姐坐在那里。我想请她帮我个忙,实际上,我想请你们两个。"

"怎么帮,警监？"

"弄到我无法弄到的情况。先生,我想请您代我去查问爱德华兹。"

"爱德华兹？你想从他那里知道些什么？"

"你能想出来的任何事！他知道的一切以及他的想法！家庭各成员之间的关系,他对鲁比·基恩这件事的看法。一些内部材料。他比任何人更了解情况——他肯定知道！而且他不会对我说。但是他会对你说。我们或许能发现什么。当然,如果您不反对的话。"

亨利爵士严肃地说：

"我不反对。我匆忙来这里的目的就是要弄清真相。我会尽最大的努力。"

他又问：

"你想让马普尔小姐帮你什么忙呢？"

"一群女孩子,一些女童子军。我们已经召集了六个左右,她们是帕梅拉·里夫斯生前最要好的朋友。或许她们知道些情况。瞧,我一直在想,如果那女孩真的要去伍尔沃思,她会尽力劝另一个女孩和她一起去。通常女孩子喜欢和同伴一起购物。"

"是的,我想是这样。"

"所以我认为去伍尔沃思可能只是个借口。我想知道这个女孩到底去了哪里。她可能说漏了点什么。如果是这样,马普尔小姐就能从这些女孩身上探听出来。我敢说她对女孩子比较了解——比我知道的多。况且,她们害怕警察。"

"我听说马普尔小姐最擅长侦破发生在乡下的那些家庭案子。你知道,她非常敏锐。"

警监笑了。

"你说的对。没有多少能逃得过她的眼睛。"

看见他们走过来,马普尔小姐抬起头热情地欢迎他们。她听完警监的话,立刻接受了他的请求。

"警监,我非常乐意帮助您,而且我想我能做点什么。你知道,我经常接触的对象有主日学校、十一岁以下的女童子军,我们的女童子军,附近的孤儿院——瞧,我是委员会的成员,经常和女主管交流——还有仆人——通常我谈话的对象是非常年轻的女佣。我很清楚一个女孩子什么时候讲的是真话,什么时候说的是假话。"

"实际上,你是一位专家。"亨利爵士说。

马普尔小姐责备地看了他一眼说:

"哦,请不要取笑我,亨利爵士。"

"我做梦也不敢取笑您。我作为您取笑的对象的次数倒是不少。"

"乡下的邪恶之事确实很多。"马普尔小姐低声解释道。

"顺便说一句,"亨利爵士说,"我问明了上一次您向我提出的问题。警监告诉我说鲁比的废纸篓里有剪下的指甲壳。"

马普尔小姐边思考边说：

"是吗？那就是这么回事……"

"马普尔小姐，你为什么想知道这个？"警监问。

马普尔小姐说：

"是这么一回事——喏，当我看到尸体时，我觉得有些事情不对头，她的手指有些不对头。起初我不明白是怎么回事。后来我想到习惯浓妆艳抹的女孩一般都留长指甲。当然，我知道所有的女孩都喜欢咬指甲——这个习惯很难改掉。不过虚荣心经常能起作用。我当时想这个女孩还没有改掉这个坏毛病。后来那个小男孩——就是彼得——他说的话让我明白以前她留的是长指甲，只不过其中一个指甲勾住了东西而撕裂了。这样的话，她肯定会把其余的指甲剪平。所以我向亨利爵士问起指甲的事，他说他去查查。"

亨利爵士说：

"你刚才说，'当你看到尸体时你觉得有些事情不对头。'还有别的事情吗？"

马普尔小姐使劲点点头。

"哦，有！"她说，"那件衣服。那件衣服太不对劲了。"

两个男人好奇地看着她。

"为什么？"亨利爵士问。

"喏，你瞧，那是件旧衣服。乔西说得很肯定，我也亲

眼看见,这件衣服非常寒酸,很旧。这太不对劲了。"

"我不明白这有什么不对劲。"

马普尔小姐的脸微微泛红。

"我们猜鲁比·基恩换衣服是想去见某个人,大概是某个我的小侄们所说的'心上人'?"

警监的眼睛一亮。

"那是个推测。她有个约会——人们常说的男朋友。"

"那么为什么她穿一件旧衣服?"马普尔小姐追问。

警监挠头想了想说:

"我明白您的意思。您认为她应该穿一件新衣服?"

"我认为她应该穿她最好的衣服。女孩子都这样。"

亨利爵士插嘴说:

"是的,不过听我说,马普尔小姐。假如她出去幽会,她或许坐的是一辆敞篷汽车,或许散步时选的路不好走。那么她不想把一件新衣服弄糟,所以穿了一件旧的。"

"这是明智的做法。"警监表示同意。

马普尔小姐有力地反驳道:

"明智的做法是换上长裤和套衫或花呢衣服。这(当然我不想势利,不过这次恐怕难免),这是一个女人——一个我们这个层次的女人的做法。

"一个有教养的女孩,"马普尔小姐打开话匣继续说,"总是特别注意在适当的场合穿适当的衣服。我的意思是,无论天气多热,一个有教养的女孩决不会穿一件丝绸花衣裳出现在越野赛马场。"

"而和恋人约会时的适当穿戴应该是?"亨利爵士追问。

"如果她准备和他在饭店或穿晚礼服的某个场合见面,她会穿上她最好的晚礼服,当然——如果在外面幽会穿晚礼服会让她看上去很可笑,所以她会穿上她最迷人的运动装。"

"那是时装模特,但是鲁比这个女孩——"

马普尔小姐说:

"当然鲁比不是——直率地说——鲁比不是一位淑女。她那个层次的女孩不管场合多么不合适也要穿她们最好的衣服。你知道,去年我们去斯克兰特尔礁野游。女孩子们的穿戴非常不妥,简直让人大开眼界。印花薄软绸衣裙,独出心裁的鞋子,精致美观的帽子。她们穿着这些爬越山石,穿梭于荆豆和石楠属植物之间。年轻的男士则穿着他们最好的西服。当然,徒步旅行又是一回事,那个时候穿的衣服实际上是制服——女孩子们似乎没意识到只有身材非常苗条的人穿短裤才好看。"

警监慢吞吞地说:

"那么您认为鲁比·基恩——"

"我认为她不会换下当时她身上穿的那件——她那件最好的粉色衣裙,除非她还有更新的。"

哈珀警监说:

"那么,马普尔小姐,您的解释是什么?"

马普尔小姐说:

"我还没有找到一个解释。但是我觉得这很重要……"

3

在四周有围栏的网球场里,雷蒙德·斯塔尔的网球课正接近尾声。

一个矮胖的中年妇女短促地说了几句欣赏的话,然后拾起天蓝色的开襟羊毛衫向饭店走去。

雷蒙德在她身后高兴地嚷了几句。

然后他转身朝三个旁观者坐的长凳走来。他把球拍夹在腋下,手里拿着网球袋,里面的那些球不停地摇晃。此刻他脸上那欢快的表情消失了。他看上去既疲惫又焦虑。

他走近长凳,说:"结束了。"

接着笑意又回到他的脸上,迷人、男孩气、富有感染力,与他晒黑的脸膛和轻巧自如的优雅恰到好处地融为一体。

亨利爵士心里不禁揣摩他有多大年龄。二十五、三十、三十五?无法判断。

雷蒙德微微摇头说:

"瞧,她永远也打不好。"

"这一切对你来讲一定很乏味。"马普尔小姐说。

雷蒙德说：

"有时候是。特别是夏末的时候。有时候想起酬金会让你振作,但是最终钱也不能激发你的想像力!"

哈珀警监突然站起来说：

"马普尔小姐,如果可以的话,半小时后我再来找您。"

"好的,谢谢。我会准备就绪的。"

哈珀走了。雷蒙德站在那里望着他的背影。他说："我在这坐一会儿行吗?"

"坐吧。"亨利爵士说,"抽烟吗?"他拿出他的烟盒,同时心里琢磨为什么自己对雷蒙德·斯塔尔存有偏见。是不是仅仅因为他是一个职业网球教练和跳舞的? 如果是,那也不是网球——是跳舞。亨利爵士和大多数英国人一样认定任何舞姿太好的男人都不可靠! 这个家伙舞姿太优雅! 雷蒙——雷蒙德——哪个是他的名字? 他突然提出这个问题。

对方似乎觉得很有趣。

"雷蒙是我最初的职业称呼。雷蒙和乔西——瞧,西班牙人追求的效果。后来因为这里对外国人排斥得很厉害——于是我就变成了雷蒙德——非常有英国味——"

马普尔小姐说：

"你的真名很不一样吗?"

他对她笑笑。

"事实上,我的真名是雷蒙。我的祖母是阿根廷人

（难怪他的胯扭得那么好，亨利爵士想）——""但是我的
教名叫托马斯。平凡得叫人生厌。"

他转向亨利爵士。

"先生，您是从德文郡来的，是吗？从斯太恩？那边
有我们的人。在阿尔斯蒙斯顿。"

亨利爵士兴奋起来。

"你是阿尔斯蒙斯顿斯塔尔家族的一员？我没想
到。"

"是——我猜你不会的。"

他的声音里带有少许的苦涩。

亨利爵士尴尬地说：

"运气不好——呃——这之类的原因。"

"你指的是这块地方在属于家族三百年后被卖掉了？
是的，非常不幸。不过，我想我们这类人还得生存。我们
的生命比我们自身的价值要长。我哥哥去了纽约。他在
出版业做事——混得不错。我们其他人分散到了世界各
地。如果你只接受过公学教育，再无其他可言，那么如今
很难找到一份工作！如果你运气好的话，有时候可以在
一家饭店做接待员。在那里领带和仪表是一种资本。我
得到的惟一一份工作是在一家洁具部做演示员。出售高
档的桃色和柠檬色瓷浴缸。那个展示厅非常大，可是我
对这些东西的价格或发货期向来一窍不通——我被解雇
了。

"我能做的就是跳舞和打网球。我在里维埃拉的一
家饭店找到一份差事。收入不错。我想我干得不错。后

来我听说一个老上校,一个非常老的上校,老得让人不敢相信,一个地地道道的英国人,总是谈论浦那①。他找到经理大声嚷嚷:

'那个跳舞的男的在哪里?我要雇这个舞男。我太太和女儿想跳舞。那个家伙在哪里?他跟你们索要多高的价钱?我要找那个跳舞的男人。'"

雷蒙德继续说:

"说起来很傻——但是我接受了。我辞去了原来的工作,来到这里。虽然报酬比以前拿得少但工作起来更愉快,主要是教那些永远都学不好的胖女人打网球。还有就是和那些富裕顾客的女儿们跳舞。她们在舞会上常常被人忽视,没有舞伴。我想这就是生活。请原谅今天的倒霉故事!"

说完他放声大笑,露出了雪白的牙齿,眼角向上翘起。突然间他看上去健康快乐,充满了活力。

亨利爵士说:

"很高兴和你一谈。我一直想和你聊聊。"

"关于鲁比·基恩?你知道,我帮不了你。我不知道谁杀了她。我对她的了解很少。她从来不向我吐露秘密。"

马普尔小姐说:"你喜欢她吗?"

"不特别喜欢,但也不讨厌她。"

---

① 印度中西部的一个城市。

他的话音流露出不经意、不感兴趣。

亨利爵士问：

"那么你没有什么可以告诉我们了？"

"恐怕没有……如果有我早告诉哈珀了。在我看来就是那么一回事！是那种微不足道、卑鄙的小犯罪——没有线索，没有动机。"

"有两个人有动机。"马普尔小姐说。

亨利爵士紧盯着她。

"是吗？"雷蒙德看上去很吃惊。

马普尔小姐目不转睛地看着亨利爵士，只听后者极不情愿地说：

"她的死可能给杰弗逊夫人和加斯克尔先生带来五万英磅。"

"什么？"雷蒙德看上去确实大吃一惊——不只是吃惊——而且沮丧。"哦，可是这太荒唐了——绝对荒唐可笑——杰弗逊夫人——他们两个——不可能和这件事有关。这种想法太令人不可思议了。"

马普尔小姐咳了一声，她轻言细语地说：

"恐怕你太理想主义了。"

"我？"他放声笑了。"不！我是个地地道道的玩世不恭的人。"

"钱，"马普尔小姐说，"是一个非常有分量的动机。"

"也许是。"雷蒙德激动地说，"不过他们两个不会残忍地勒死一个女孩——"他摇头。

这时他站了起来。

"杰弗逊夫人来上课了,她迟到了。"他的声音让人觉得有趣。"迟到了十分钟!"

阿德莱德·杰弗逊和雨果·麦克莱恩正沿着小径匆匆走来。

阿德莱德·杰弗逊微笑地表示歉意,然后走向球场。麦克莱恩在长凳上坐下。他礼貌地征得马普尔小姐的同意,然后点着烟斗,默默地抽了几分钟,眼神不满地看着网球场上的两个白色人影。

最后他说:

"我不明白艾迪为什么要上课。玩玩,是的。没有人比我更喜欢玩。但是为什么要上课呢?"

"想提高她的球技呗。"亨利爵士说。

"她打得不错。"雨果说,"无论怎样,够好了。见鬼,她又不准备参加温布尔登赛事。"

他沉默了一会儿又说:

"这个叫雷蒙德的家伙是谁? 这些职业教练是从哪来的? 我看他像个意大利黑鬼。"

"他是德文郡斯塔尔家族的人。"亨利爵士说。

"什么? 不会吧?"

亨利爵士点点头。很明显雨果·麦克莱恩不喜欢听这个。他比刚才更为不快。

他说:"我不明白艾迪为什么叫我来。这件事对她似乎没一点儿影响! 她的气色从未这样好过。为什么叫我来?"

亨利爵士有些好奇地问:

"她什么时候叫你来的?"

"哦——呃——这一切发生以后。"

"你是怎么知道的?通过电话还是电报?"

"电报。"

"请满足我的好奇心,那电报是什么时候发的?"

"嗯——具体时间我不知道。"

"你是什么时候收到的?"

"实际上我没有收到,事实上是她打电话告诉我的。"

"是吗?你当时在哪里?"

"实际上头天下午我就离开伦敦了,当时我在戴恩伯里·黑德。"

"什么——离这很近?"

"是的,非常好笑,是不是?我刚打完一局高尔夫就得到消息,立刻就赶来了。"

马普尔小姐若有所思地看着他。他看上去显得急躁不安。她说:"我听说戴恩伯里·黑德这个地方非常不错,而且价格不太贵。"

"是的,不贵。如果贵,我也支付不起。那是一个不错的小地方。"

"哪天我们一定开车过去看看。"马普尔小姐说。

"哦,什么?哦——呃——对,我会的。"他站起来。"最好活动活动——这样有胃口。"

他快步走开了。

"女人,"亨利爵士说,"待她们忠诚的倾慕者非常不公平。"

马普尔小姐笑了,但是没有答话。

"他给你的印象是不是很乏味?"亨利爵士问,"我很想知道。"

"也许思想有点保守。"马普尔小姐说。"但是我想他很有前途——哦,的确很有前途。"

亨利爵士也站起来。

"我该去办我的事了。我看见了班特里太太,她正要来和你们作伴。"

4

班特里太太气吁吁地走来,她喘了口气坐下。

她说:

"我刚才一直在和女服务员聊天,可是一点儿用都没有。我没有发现一点儿新东西!你想那个女孩真能神不知鬼不觉地秘密和人来往吗?"

"这个问题很有意思,亲爱的。如果她和别人来往甚密,肯定会有人知道!但是她的做法一定很聪明。"

班特里太太把注意力转向网球场,她称赞道:

"艾迪的球技长进很大。那个职业网球手是个迷人的年轻人。艾迪的长相也非常好看,她仍然是一个有吸引力的女人——如果她再婚,我一点儿都不会吃惊。"

"而且杰弗逊先生死后,她会成为一个富有的女人。"马普尔小姐说。

"哦,不要总是存有这样的坏心,简!为什么你还没有解开这个谜?我们似乎一点儿进展都没有。我还以为你很快就会知道。"班特里太太的口气带有责备之意。

"不,不,亲爱的。我不是马上知道的——是过了一段时间。"

班特里太太吃惊地看着她。

"你是说你现在知道是谁杀了鲁比·基恩?"

"哦,是的。"马普尔小姐说,"我知道!"

"简,是谁?快告诉我。"

马普尔小姐坚决地摇摇头,她双唇紧闭。

"对不起,多利。但是我不能告诉你。"

"为什么不能?"

"因为你太不谨慎。你会到处对别人说——如果你不说,你也会给别人暗示。"

"不,我不会的。我对谁也不说。"

"说这话的人总是最后一个履行诺言。这样不好,亲爱的。我们还有很长的路要走。很多情况还不是十分清楚。你记得我当时是多么反对让帕特里奇夫人为红十字会收账,我也说不清是为什么。原因是她的鼻子抽动时的样子和我的女佣艾丽斯出去付账时鼻子抽动时的样子一模一样。她总是少付给人家一先令左右,并说'可以记在下星期的账上,'帕特里奇夫人的做法完全一样,只不过规模大得多。她贪污了七十五英镑。"

"别管帕特里奇夫人。"班特里太太说。

"但是我必须向你解释。如果你真有心,我会给你一个提示。这个案子的症结在于每个人都太轻信和相信别人。简单地说,你不能人家告诉你什么你就信什么。只要事情可疑,我根本谁都不信!听我说,我对人性太了解啦。"

班特里太太沉默了一会儿,她换了一种口气说:

"我告诉过你,我看不出有什么理由使我不该从这个案子里获得乐趣。发生在我家里的一起真正的谋杀!这种事将来决不会再发生的。"

"希望不会。"马普尔小姐说。

"是的,一次就够了。但是,简,这是我的谋杀案,我想从中获得乐趣。"

马普尔小姐瞥了她一眼。

班特里太太挑衅地问:

"你不相信吗?"

马普尔小姐温柔地说:

"当然相信,多利,如果你这样对我说。"

"是的,不过你从不相信别人对你说的话,对吗?这是你刚才说的。好吧,你非常正确。"班特里太太的口气突然带有悲壮的味道。她说:"我不完全是个傻瓜。简,你或许以为我不知道人们在圣玛丽·米德到处议论什么——在整个郡!他们每个人都在说,无风不起浪,如果那女孩是在阿瑟的藏书室里被发现的,那么阿瑟一定知道些什么。他们在说那女孩是阿瑟的情妇——也有人说她是他的私生女——说她在勒索他。他们想什么就说什么！而且会不断地这样说下去！阿瑟开始意识不到——他不明白是怎么回事。他是个如此可爱的老糊涂，决不会相信人们会这样看他。人们会冷淡他，斜眼看他（无论那是什么意思）。总之，他会慢慢明白，接着就会突然间惊恐不已，伤心欲绝，他会像只蛤蜊紧紧闭合，日复一日在里面悲惨地忍受。

"就因为这一切可能发生在他身上，我才来这里搜寻有关这件事的蛛丝马迹！必须侦破这起谋杀案！如果侦破不了，阿瑟的一生就毁了——我不会让它发生。我不会！我不会！我不会！"

她停了一会儿又说：

"我不会让可爱的老伙计为他没做过的事而饱受地狱般的煎熬。这就是为什么我离开戴恩茅斯，把他一个人留在家里——我要查明真相。"

"我知道，亲爱的。"马普尔小姐说，"这也是我来这里的原因。"

第十四章

1

在饭店一间安静的房间里,爱德华兹正毕恭毕敬地倾听亨利·克利瑟林爵士说话。

"爱德华兹,我想问你一些问题。不过首先我想让你明确我的立场。我曾经是伦敦警察局警署的高级专员,现在已退居在家。这场悲剧发生后,你的主人把我请来,他要我运用我的技能和经验查明事实的真相。"

亨利爵士停了下来。

爱德华兹暗淡睿智的眼神看着对方的脸,他低下头说:"确实是这样。"

"在警方的所有案件中,有必要隐瞒许多情况,其原因各种各样——因为触及家庭丑闻,因为被认为和案件无关,因为会给当事人带来尴尬和麻烦。"

爱德华兹又说:

"确实是这样,亨利爵士。"

"爱德华兹,我想现在你非常明白我们该做的事。那个死了的女孩即将成为杰弗逊先生的养女。有两个人有阻止这件事发生的动机。这两个人就是加斯克尔先生和杰弗逊夫人。"

贴身男仆的眼睛刹那间微微闪亮。他说："先生，我想知道他们现在是否处在警方的怀疑之中？"

"他们没有被逮捕的危险，如果那是你想知道的。但是警方肯定怀疑他们，而且会继续如此，直到事情被完全弄清楚。"

"他们的处境不妙，先生。"

"非常不妙。要查明真相需要了解与本案有关的所有事实，而许多事实则必须来自于杰弗逊先生和他家人的反应、言词和动作。他们的感觉、表现以及他们谈到的事。爱德华兹，我现在向你索取的是内部情况——只有你才可能知道的内部情况。你了解你主人的情绪，通过对它们的观察你也许知道引起这些情绪的原因。我现在不是以警察的身份，而是作为杰弗逊先生的朋友向你提这些问题。也就是说，如果我认为你告诉我的情况与本案无关，我就不会告诉警方。"

他停下来。爱德华兹小声说：

"我明白您的意思，先生。您要我非常坦率地说——说那些在一般情况下不该说的事情——而那些事情，请原谅，先生，您做梦也想不到。"

亨利爵士说：

"你很聪明，爱德华兹。这正是我的意思。"

爱德华兹沉默了一会儿，然后开口说：

"当然，到现在我已经非常了解杰弗逊先生。我已经跟了他多年。我见过他'冷静'的时候，也见过他'不冷静'的时候。先生，有时候我扪心自问，像杰弗逊先生那样与命运抗争是否对人有益。他为此付出了可怕的代价，先生。如果他有时退让一下，做一个苦闷、孤独、潦倒的老人——那么，最终或许对他更好。但他太骄傲了，决不会这样做！他要继续抗争——这是他的座右铭。

"但是这样做会引起很多的紧张反应，亨利爵士。他看上去是个脾气温和的人。但是我见过他勃然大怒的时候。先生，欺骗使他愤怒……"

"爱德华兹，你这样说有特别的原因吗？"

"有的，先生。您刚才让我坦言相告？"

"是这样。"

"好吧，亨利爵士，在我看来，那女子根本不值得杰弗逊先生如此钟爱。坦率地说，她没有什么特别的，而且她一点也不在意杰弗逊先生。那些爱慕和感激都是胡扯，都是她装出来的。我并不是说她有恶意——但是她远远不及杰弗逊先生所想的。说起来好笑，先生，因为杰弗逊先生是个精明的人，他不常被人愚弄。但是，一涉及到年轻的女人，男人的判断力就失灵了。你知道，他一直从小杰弗逊夫人那里寻求精神慰藉，可今年夏天她变化很大。他注意到了，心里非常难受。瞧，他喜欢她。至于马克先生，他从来不怎么喜欢。"

亨利爵士插话说：

"不过他一直把他留在身边？"

"是的,不过那是由于罗莎蒙德小姐的缘故,也就是加斯克尔夫人。她是杰弗逊先生的心肝宝贝。他钟爱她。马克先生是罗莎蒙德小姐的丈夫。他一直这样看待他。"

"假使马克先生和别人结婚了?"

"杰弗逊先生会非常生气的,先生。"

亨利爵士抬起眉头。"会这样吗?"

"他不会表现出来,不过情况会是这样。"

"如果杰弗逊夫人再婚呢?"

"杰弗逊先生同样不会喜欢的,先生。"

"请说下去,爱德华兹。"

"我是说,杰弗逊先生迷上了这个年轻女子。在我周围的男人身上我常见到这种事发生。来势如山倒。他们想保护她,做她的盾牌,施恩惠于她——而十有八九那女孩能够很好地照料自己并且善于谋取私利。"

"那么你认为鲁比·基恩是个阴谋家?"

"喏,先生。她很年轻,没有经验。但是可以这么说,当她使出浑身解数,她具有成为一个非常精明的阴谋家所需要的素质!再过五年,她会成为这种游戏的高手!"

亨利爵士说:

"我很高兴你能谈出对她的看法。这很有价值。你记得杰弗逊先生和他的家人讨论过这件事吗?"

"没有什么讨论,先生。杰弗逊先生宣布他的想法,不许有任何的反对。就是说,他不让心直口快的马克先生开口。杰弗逊夫人没说什么——她是个文静的女士

——她只是劝他不要匆忙做任何事。"

亨利爵士点点头。

"还有吗？那女孩的态度呢？"

这位贴身男仆的不满显而易见。他说：

"我应该说她喜滋滋的。"

"啊——喜滋滋的，是这样吗？爱德华兹，你有理由相信，"他在搜寻一个爱德华兹能接受的词——"相信——呃——她另有所爱吗？"

"杰弗逊先生不是求婚，先生。他准备收养她。"

"去掉这个问题里的'另'字呢？"

贴身男仆慢慢说："有一件事，先生。我碰巧撞上了。"

"太好了。快说。"

"或许这件事不能说明什么问题，先生。有一天，那年轻女子碰巧打开她的手提包，一张照片从里面滑落出来。杰弗逊先生一把抓了过去，他说：'喂，小猫，喂，这是谁，嗯？'

"这是一张年轻人的快照，先生，一个皮肤黝黑的年轻人，头发相当凌乱，领带不整。

"基恩小姐假装对此事一无所知。她说：'我不知道，杰菲。一点也不知道。我不知道它怎么会在我的包里。不是我放在那儿的！'

"杰弗逊先生不完全是个傻瓜。这个解释不够充分。他看上去很生气，眉毛紧锁，粗声粗气地说：

'得了，小猫，得了。你十分清楚他是谁。'

"她立刻就变了,先生。看上去很害怕。她说:'现在我认出来了。他有时来饭店,我和他跳过舞。我不知道他的名字。一定是有天这个白痴把照片塞进了我的包里。这些男孩就会干蠢事!'她把头往后一仰,格格一笑,让这件事就这么过去了。但是这个故事编得不太圆满,是不是?我认为杰弗逊先生不太相信。这件事之后他有一两次用犀利的目光看她。有时候,她从外面回来,他问她去了什么地方。"

亨利爵士说:"你在饭店见过那张照片上的人吗?"

"没有,先生。我很少到楼下的公共场所去。"

亨利爵士点点头。他又问了几个问题,但是爱德华兹再没有什么可以告诉他的了。

2

在戴恩茅斯的警察局,哈珀警监正在盘问杰西·戴维斯、弗洛伦斯·斯莫尔、比阿特丽斯·亨尼克、玛丽·普赖斯和莉莲·里奇韦。

这几个女孩年龄相仿,只是智力稍有差异。她们分别是郡里的、农民的、店主的女儿。每个人说的故事都一样——帕梅拉·里夫斯和往常一样,只说她要去伍尔沃思,然后搭晚些时候的公共汽车回家,此外没有对任何人说什么。

有一位年长的妇人坐在哈珀警监办公室的角落。女孩们几乎没有注意到她。如果她们看到,或许想知道她是谁。她肯定不是警察女监。她们可能会猜她和他们一样是来这里接受盘问的证人。

最后一个女孩被领了出去。哈珀警监揩揩额头,然后转身看看马普尔小姐。他的目光在询问,眼神里没有希望。

马普尔小姐却干脆地说:

"我要和弗洛伦斯·斯莫尔谈谈。"

警监扬起眉,他点点头,摁了一下铃。一个警士出现了。

哈珀说:"弗洛伦斯·斯莫尔。"

那女孩又被刚才那个警士领了进来。她是个富裕的农场主的女儿——高个子,金发,有一张十分难看的嘴和一双惊恐的褐色眼睛。她抚弄着手,神情紧张。

哈珀警监看看马普尔小姐,后者点点头。

警监起身说:

"这位女士要问你几个问题。"

他走出去,随手把门关上。

弗洛伦斯不安地看了一眼马普尔小姐,眼神十分像她父亲养的一头牛。

马普尔小姐说:"坐下,弗洛伦斯。"

弗洛伦斯·斯莫尔顺从地坐下。无意识中她突然感觉自在多了,没有先前那么不适。警察局陌生恐怖的气氛不见了,取而代之的是从某个惯于发号施令的人嘴里发出的她更为熟悉的命令。马普尔小姐说：

"弗洛伦斯，你明白吗？了解帕梅拉死的当天她的所有活动非常重要。"

弗洛伦斯小声说她非常明白。

"我相信你会尽力帮助我们？"

当弗洛伦斯表示肯定时，她的眼神也随之警觉起来。

"隐瞒任何一条线索都是非常严重的违法行为。"

姑娘的手指在膝头紧张地缠绕。她咽了一两次口水。

马普尔小姐继续说："考虑到和警方接触自然会使你惊慌这个事实，我能原谅你。你还担心由于没有及早说出来而可能会受到责备。可能还担心由于当时没有阻止帕梅拉而会受到责备。但是你必须做个勇敢的女孩，把情况和盘托出。如果你现在隐瞒不报，问题就确实非常严重——非常严重——实际上是伪证罪。而这个，你也知道，会让你蹲监狱的。"

"我——我不——"

马普尔小姐厉声说：

"听着，弗洛伦斯，不要支支吾吾！赶快把一切告诉我！帕梅拉不是去伍尔沃思，对不对？"

弗洛伦斯干燥的舌头舔着嘴唇，她像一只待宰的困兽哀求地看着马普尔小姐。

"和电影有关的事，对不对？"马普尔小姐问。

弗洛伦斯的脸上闪过极为放松和敬畏的表情。她的抑制力不见了。她喘着气说：

"哦,对!"

"我想是这样。"马普尔小姐说,"现在请把所有的细节告诉我。"

弗洛伦斯滔滔不绝地说起来:

"哦!我一直都很担心。你知道,我对帕梅拉发过誓决不对任何人说一个字。后来当她被发现在那辆烧毁的汽车里——哦!太可怕了,我想我要死了——我觉得全都是我的错。我当时应该阻止她。只是从来没有想过,一点也没有想过会有什么不对劲。后来有人问我那天她是否和平常完全一样,我脱口说'是的',连想也没有想。因为当时我什么也没说,所以我不知道后来还能说什么。还有,毕竟我什么也不知道——真的——除了帕梅拉告诉我的那些。"

"帕梅拉对你说了什么?"

"当时我们正走在前往公共汽车站的小路上——在前往集会的路上。她问我能不能保密,我说'能'。她让我发誓决不说出去。集会后她要去戴恩茅斯试镜头!她结识了一个电影制片人——刚从好莱坞回来。他需要某个类型的演员,说帕梅拉正是他要找的人。不过他提醒她不要指望能成。他说只有看到一个人上镜后的情况才能知道。或许根本不怎么样。他说是个伯格纳之类的角色,需要一个非常年轻的人。故事讲的是一个女学生和一位讽刺剧艺术家调换了位置,事业上获得极大的成功。帕梅拉在学校演戏,而且很棒。那个制片人说他看得出来她会演戏,但是她必须接受一些强化训练。他告诉她拍电影不全是吃喝玩乐,工作会很辛苦,问她是否能吃得消?"

弗洛伦斯停下来喘了口气。马普尔小姐听着这流畅的无数小说和剧本的翻版故事,心里很不是滋味。帕梅拉·里夫斯和绝大多数的女孩子一样,都被警告过不要和陌生人交谈——但是电影的魅力使这些忠告化成了泡影。

"他对这件事绝对认真。"弗洛伦斯继续说,"他说如果试镜成功就会让她签份合同,还说由于她年轻、没有经验,所以应该在签字前请个律师看看,但是不要说是他说的。他问她是否会在她的父母那里碰到麻烦,帕梅拉说或许会有麻烦,他说:'当然,像你这样年轻的人出来总是不容易的。不过我想如果能让他们明白这是千载难逢的机会,他们就会同意的。'但是无论如何他说要等到试镜的结果后才有必要讨论这些问题。如果不成也不要失望。他对她讲起好莱坞和费雯丽——她如何一夜之间使伦敦倾倒——这些轰动性的一举成名是如何发生的。他本人从美国回来后进入了莱姆维尔电影制片厂,他说要为英国的电影业注入活力。"

马普尔小姐点点头。

弗洛伦斯继续说:

"一切都安排妥当。集会结束后帕梅拉去戴恩茅斯,在他下榻的饭店和他见面,然后他带她去制片厂(他说他们在戴恩茅斯有一家小摄影棚)。试完镜后她可以搭公共汽车回家。她可以说她去购物了。几天后他会告诉她试镜的结果,如果令人满意,他们的老板哈姆斯塔特先生会到她家跟她的父母谈。

"这些听上去太棒了!我羡慕得要命!帕梅拉不动声色地参加完集会——我们总说她那张脸永远没有表情。后来,当她说她要经戴恩茅斯去伍尔沃思时只向我眨了眨眼。

"我看着她沿小径出发。"弗洛伦斯开始哭起来。"我应该去阻止她的。我应该去阻止她的。我应该想到这种事是不可能的。我应该告诉某个人。天啊,但愿我死了!"

"没事了,没事了。"马普尔小姐轻轻拍着她的肩。"没有关系。不会有人怪你。你告诉我是对的。"

她用了几分钟使那孩子转悲为喜。

五分钟后她把事情的原委告诉了哈珀警监。后者的表情非常严峻。

"狡猾的家伙!"他说,"老天爷作证,这一次我让他插翅难逃。这使情况大为不同了。"

"是的,是这样。"

哈珀斜视着她。

"你不觉得吃惊?"

"我已经猜到是这类的事。"

哈珀警监好奇地说:

"是什么引起你对这个女孩的注意?她们看上去全都怕得要死,在我看来,根本无法从中筛选。"

马普尔小姐柔声说:

"你接触的撒谎女孩没有我接触的多。如果你记得，弗洛伦斯正眼看着你，僵硬地站着，脚动个不停，和其他人一样。但是你没有观察她出去时候的样子。我当时立刻看出她有事瞒着。撒谎的人几乎总是放松得太快。我的小女佣珍妮特就是这样。她会令人信服地解释剩下的蛋糕被老鼠吃了，但是出门时她脸上得意的笑让她露了馅。"

"非常感谢您。"哈珀说。

他若有所思地又说："莱姆维尔制片厂，是吗？"

马普尔小姐一言不发。她站起身。

"恐怕我得马上离开。"她说，"能帮助你我非常高兴。"

"你回饭店吗？"

"是的——去收拾行李。我必须尽快赶回圣玛丽·米德。在那里我有很多的事情要做。"

第十五章

1

马普尔小姐穿过她的起居室的落地长窗，轻快地走过整齐的花园小径，出了花园的一个门，然后拐进教区牧师住宅的花园。她走近起居室的窗前，轻轻地叩响玻璃窗。

牧师正在他的书房忙着为星期日的布道做准备，而他年轻漂亮的妻子则在欣赏在炉前地毯上玩耍的儿子。

"我能进来吗，格丽泽尔达？"

"哦，进来吧，马普尔小姐。你看大卫！他气坏了，因为他只会倒着爬。他想够东西，结果越努力越往后，退进了煤箱！"

"他长得很健壮，格丽泽尔达。"

"他不赖，是不是？"年轻的母亲说，努力做出不在意的表情。"当然我不太管他，所有的书都说应该尽可能让小儿独处。"

"这很明智，亲爱的。"马普尔小姐说，"嗯，我来是想问问目前你是否正在为什么特别的活动募捐。"

牧师的妻子有些吃惊地看着她。

"哦,多的是。"她愉快地说,"总是有的。"

她搬弄手指数了起来:

"有早期教堂中殿修复基金,圣贾尔斯布道团,下个星期三的善行活动日,未婚母亲日,男童子军的一次野游,缝纫行会,主教为深海渔民的呼吁。"

"哪个都行。"马普尔小姐说,"你瞧,我想我可能要携带一个本子做一次小小的募捐——如果你同意的话。"

"你在忙什么? 我想你一定有事。我当然同意。那就为善行活动日募捐吧。能得到一些实实在在的钱太好了,而不是那些乱七八糟的小香袋、滑稽可笑的擦笔布,还有令人沮丧的儿童外衣和风衣,它们个个都被整理得像玩具娃娃。"

格丽泽尔达陪客人走到窗口,她接着说:"我猜你不想告诉我这是怎么回事?"

"亲爱的,以后再告诉你。"马普尔小姐说完急匆匆地走了。

年轻的母亲叹口气回到炉前地毯,在严格的不理会原则下,她三次用头顶撞了儿子的小肚子,结果儿子抓住她的头发,一边拽一边高兴地大叫。随后他们乱作一团地滚来滚去,直到门被打开,女佣对最有影响力的教区居民宣布(他不喜欢孩子):

"夫人在这里。"

于是格丽泽尔达坐起来,尽力表现出庄严的样子以使自己看上去更像一个牧师的妻子。

2

马普尔小姐手中紧紧攥着一个小黑本,里面有铅笔写的记录。她沿着村里的街道快步走到十字路口,然后向左拐,经过蓝野猪旅馆,一直走到查兹沃思,别名"布克先生的新屋"。

她拐进大门,走上去轻快地叩响前门。

开门的是那位名叫黛娜·李的年轻金发女人。她没有平常打扮得那么用心,事实上她看上去有点邋遢,穿着一件艳绿色的无袖套领罩衫和灰色的便裤。

"早上好。"马普尔小姐轻快地说,"我可以进来一会儿吗?"

她说话时身体往前探,使对她的来访感到有些惊讶的黛娜·李没有时间做出决定。

"太谢谢你啦。"马普尔小姐说,同时亲切地朝她微笑,然后小心翼翼地在一把"古式"竹椅上坐下。

"这个时候天气就这么暖和了,是吗?"马普尔小姐说,态度还是亲切友好。

"是,很暖和。哦,非常暖和。"李小姐说。

她不知该如何应付眼下的情况,于是打开一个烟盒向客人递过去。"呃——抽烟吗?"

"太谢谢你啦,不过我不抽烟。你瞧,我来这里是想为我们下星期的善行活动寻求你的帮助。"

"善行活动?"黛娜·李说,仿佛在重复一个外语词。

"在教区牧师的住宅,"马普尔小姐说,"下星期三。"

"哦!"李小姐张开嘴,"恐怕我不能——"

"捐一点都不行?也许半个克郎?"

马普尔小姐拿出她那个小本。

那女子的神情顿时放松下来,回头在手袋里翻找。

"哦——呃——好吧,行。我想这个我可以做到。"

马普尔小姐敏锐地打量四周。

她说:

"我看出你没有炉前地毯。"

黛娜·李回头盯着她。她意识到这老妇人在敏锐地观察她,不过这只引起了她稍微的不快。马普尔小姐看了出来。她说:

"你知道,这很危险。火星溅出来会落在房间地毯上。"

"可笑的老处女。"黛娜想,她虽然有些含糊,却友好地说:

"以前有一块。我不知道哪里去了。"

"我猜,"马普尔小姐说,"是蓬松、毛茸茸的那种?"

"羊毛,"黛娜说,"看上去像羊。"

现在她被逗乐了。她想眼前是一个古怪的老家伙。

她拿出一枚半克郎硬币。"给你。"她说。

"哦,谢谢你,亲爱的。"

马普尔小姐接过来，然后打开那个小本。

"呃——我应该怎么写名字？"

黛娜的眼神突然变得冷漠、蔑视。

"爱管闲事的老猫。"她想，"这是她来这里的全部目的——四处探听丑闻！"

她一字一顿地带着恶意的欢乐说：

"黛娜·李小姐。"

马普尔小姐泰然地看着她。

她说：

"这是巴兹尔·布莱克的房子，对吗？"

"对，而我是黛娜·李小姐。"

她挑战似的说完，头往后一仰，蓝色的眼睛闪闪发光。

马普尔小姐非常镇静地看着她说：

"即使你或许认为我这样做不礼貌，但请允许我给你点忠告好吗？"

"我认为这样做不礼貌。你最好什么也不要说。"

"不过，"马普尔小姐说，"我还是要说。我想极力劝你不要继续在村里使用你未婚前娘家的姓。"

黛娜目不转睛地看着她。她说：

"你这是什么意思？"

马普尔小姐认真地说：

"很快你也许会需要你所能找到的一切同情和良好祝愿。还有，人们对你丈夫的正确看法对他也很重要。在落后的乡下，人们对未婚同居的人带有偏见。我想你俩正假装扮演这样的角色而且乐在其中。这样做疏远了别人,使你们免受你们所说的'老古董'的打扰。不过,老古董自有他们的用处。"

黛娜问:

"你怎么知道我们已经结婚了?"

马普尔小姐露出不赞成的微笑。

"哦,亲爱的。"她说。

黛娜追问:

"不,你是怎么知道的? 你去过——去过萨默塞特教堂吧?"

马普尔小姐的眼睛刹那间一亮。

"萨默塞特教堂? 哦,没有去过。不过很容易猜到。你知道在村里什么事情也瞒不住。你们之间的那些争吵——是结婚初期的特点。非常——非常不像不合法的关系。你知道,人们常说(而且我认为很正确)只有当你和他结婚,你才能真正激怒他。如果没有——没有合法的契约,人就会十分小心谨慎,他们要时刻使自己相信一切都那么幸福、美好。他们不敢吵架! 而我注意到结了婚的人,对打架和此后的和解乐此不疲。"

她停下来,眼中溢出柔和的光。

"这个,我——"黛娜笑了。她坐下点燃了一支烟。

她继续说:

"可是为什么你要我们承认这个事实?"

马普尔小姐表情严肃地说:

"因为现在你的丈夫随时都有可能由于谋杀罪被逮

捕入狱。"

3

黛娜目不转睛地看了她一会儿。然后她不相信地说：

"巴兹尔？谋杀？你开玩笑吧？"

"不，是真的。你没有看报吗？"

黛娜歇了口气。

"你指的是——尊皇饭店的那个女孩。你的意思是他们怀疑巴兹尔杀了她？"

"是的。"

"胡说八道！"

外面传来汽车的发动机声和摔大门的砰砰声。门被推开了，巴兹尔·布莱克抱着几个瓶子走了进来。他说：

"接着杜松子酒和苦艾酒。你——"

他停下来，难以置信地看着那位腰背挺直、一本正经的来访者。

黛娜喘着气大声说：

"她是疯了吗？她说你谋杀了鲁比·基恩那个女孩，就要被逮捕了。"

"哦，天啊！"巴兹尔·布莱克说完，瓶子从手臂滑落到沙发上。他摇摇晃晃地走到一把椅子前，倒了上去，同时把脸埋在手里,嘴里不停地说:"哦,天啊! 哦,天啊!"

黛娜冲向他,抓住他的双肩。

"巴兹尔,看着我! 这不是真的! 我知道不是真的! 我根本不相信!"

他的手向上握住了她的手。

"谢谢你,亲爱的。"

"可是他们为什么认为——你甚至不认识她。对吧?"

"哦,不,他认识她。"马普尔小姐说。

巴兹尔勃然大怒:

"住嘴,你这个丑老太婆。听着,亲爱的黛娜,我跟她一点也不熟悉。只是在尊皇饭店碰到过一两次。就这些,我发誓就这些。"

黛娜迷惑不解地说:

"我不明白。可是别人为什么怀疑你?"

巴兹尔开始呻吟,他用手捂住眼睛,身体来回摇摆。

马普尔小姐说:

"你把那个炉边地毯怎么处理了?"

他机械地回答:

"我把它扔进了垃圾箱。"

马普尔小姐的舌头发出恼火的咯咯声。

"真蠢——太蠢了。人们从不把好的炉边地毯放进垃圾箱。我猜上面有她衣服上掉下来的金属饰片?"

"是的,我弄不下来。"

黛娜叫嚷:"你们两个在说什么?"

巴兹尔绷着脸说：

"问她吧。她好像什么都知道。"

"如果你愿意,我可以告诉你我猜测发生的事。"马普尔小姐说,"如果我说得不对,布莱克先生,你可以更正。我想在晚会上你和妻子大吵一顿后,开车回到这里。你也许喝得不少。我不知道你什么时候到家的——"

巴兹尔·布莱克怒气冲冲地说：

"大约凌晨两点。我本来想先进城,但是车开到郊区时我改变了主意。我想黛娜或许会跟我到这里来,所以我就开车到了这里。四周漆黑一片,我打开门,拉开灯,我看见——我看见——"

他哽塞了。马普尔小姐接着说：

"你看见炉边地毯上躺着一个女孩——一个身穿白色晚礼服的女孩——被勒死了。我不知道你当时认出她没有——"

巴兹尔·布莱克使劲地摇头。

"看了一眼后我再也不敢看——她的脸又青又肿。她已经死了一些时候了,就在那——在我的房间!"

他不寒而栗。

马普尔小姐温柔地说：

"当然,你不能自持。你烂醉如泥,胆量又小。我想你当时惊慌失措,不知道该怎么办。"

"我想黛娜随时都会回来。她会发现我和一具尸体——一个女孩的尸体在一起——会认为我杀了她。后来我想到了一个主意——不知道为什么,当时我认为这似乎是个好主意——我想:我把她放进老班特里的藏书室。那个该死的自负的老头,总是低眼看人,讥笑我艺术气、女人气。我想,这回这个自负的老畜生活该。等在他的炉边地毯上发现一个漂亮女人的尸体,他看上去会像个傻瓜。"他又可怜巴巴地急忙解释说:"你知道,当时我有点醉了。这件事在我看来十分有趣。老班特里和一个金发女人的尸体。"

"是啊,是啊。"马普尔小姐说,"和小汤米·邦德的主意差不多。这个小男孩很敏感,有自卑情结。他说老师总是看他不顺眼。他往钟里放了一只青蛙,后来青蛙从里面朝老师扑过来。"

"你也一样,"马普尔小姐说,"当然,只不过用尸体比用青蛙更严重。"

巴兹尔又开始呻吟。

"到早上我清醒了。我意识到自己干的事。我怕得要命。后来,警方来人了——又一个该死的自负的蠢驴——警察局长。我怕他怕得要命——掩饰的惟一办法就是表现得极端粗暴无礼。和他们交涉到中途时黛娜开车回来了。"

黛娜向窗外望去。

她说:

"有辆车开过来了……里面有几个男人。"

"我想是警察。"马普尔小姐说。

巴兹尔·布莱克站起来。突然间他变得非常平静、果断。他甚至笑了。他说:

"好吧,我一定要受到惩罚,是不是? 没关系,黛娜宝贝,保持镇静。和老西姆斯联系——他是家庭律师——去母亲那里,把我们结婚的事情一五一十都告诉她。她不会吃你的。不要着急。我没有杀她。所以肯定会没事的,明白吗? 心肝宝贝?"

屋外响起了敲门声。巴兹尔喊道:"进来。"斯莱克警督和另一个人走了进来,他说:"你是巴兹尔·布莱克先生?"

"是。"

"我这里有一张拘捕你的逮捕令。你被指控在九月二十一号晚上谋杀了鲁比·基恩。我提醒你,你说的任何话都有可能在审讯时使用。现在请跟我走。我们会给你提供一切方便让你和你的律师联系。"

巴兹尔点点头。

他看着黛娜,但是没有碰她。他说:

"再见,黛娜。"

"冷血动物。"斯莱克警督想。

他向马普尔小姐微微鞠躬,道了声早上好,暗地里想:

"聪明的老猫,她已经知道了! 我们干得不错,找到了那个炉边地毯,我们还从制片厂停车场的人那里得知他是十一点离开晚会的,不是午夜。我们认为他的朋友并不想作伪证。他们都喝醉了,而布莱克第二天坚持说他是十二点离开的,所以他们相信了他。行了,这一回他彻底完了! 我想他精神有毛病! 不能用绞刑,只能关在布罗德穆尔。先是里夫斯的那个孩子,可能他先勒死她,然后开车把尸体运到采石场,之后走回戴恩茅斯,在某个偏僻小道取回自己的车,赶去参加晚会,然后再回到戴恩茅斯,把鲁比·基恩带到这儿,勒死她后把她放到老班特里的藏书室,后来可能又担心采石场的那辆车,于是开车回到那里,点着火,再回到这里。他是个疯子——充满性和杀戮欲——幸运的是,这个女孩逃脱了。我想是他们所说的复发性狂躁症。"

最后屋里只剩下马普尔小姐,黛娜·布莱克转向她说:

"我不知道你是干什么的,但是你必须弄明白这一点——这不是布莱克干的。"

马普尔小姐说:

"我知道这不是他干的。我知道是谁干的。但是要证明这一点不容易。我有个想法,刚才你提到的一件事可能有帮助。它使我想起我一直在努力寻找的那个联系——嗯,那是什么来着?"

第十六章

1

"阿瑟,我回来了!"班特里太太推开书房的门大声说道,好像在宣布王室公告。

班特里上校立刻跳起来亲吻他的妻子,发自肺腑地说:"好,好,太好了!"

他的话无可挑剔,举止也无懈可击,但是这骗不了做了多年温存妻子的班特里太太。她马上说:

"出什么事了?"

"没有,多利,当然没有。会出什么事?"

"哦,我不知道。"班特里太太含糊地说,"这世道真是稀奇古怪,是不是?"

她扔下外衣,班特里上校小心拾起,把它放在沙发背上。

一切都和以前完全一样——然而又不一样。班特里太太觉得她的丈夫似乎变小了。他看上去更瘦了,腰更弯了,他的眼睛下面出现了眼袋,目光躲躲闪闪,不愿正视她。

他仍旧愉快地说：

"说吧，在戴恩茅斯玩得高兴吗？"

"哦！很好玩。你也应该去的，阿瑟。"

"我走不开，亲爱的。这儿有许多事情要做。"

"不过，我还是认为改变一下对你有好处。你喜欢杰弗逊一家吗？"

"喜欢，喜欢，可怜的伙计。他是一个好人。一切都太悲惨了。"

"我走以后你都干了些什么？"

"哦，没什么。你知道，我去了农场。同意安德森换个新屋顶——旧的无法再补了。"

"拉德福郡政会进展如何？"

"我——呃——事实上我没有去。"

"没有去？可你是会议主席啊？"

"嗯，实际上，多利——这件事似乎出了点差错。他们问我是否介意换成汤普森先生。"

"原来是这样。"班特里太太说。

她摘下一只手套，故意把它扔进废纸篓。她的丈夫走过去捡，被她拦住。她厉声说：

"别动。我讨厌手套。"

班特里上校不安地看了她一眼。

她严肃地问：

"星期四你和达夫一家一起吃晚饭了吗？"

"哦，那件事啊！推迟了。他们的厨师病了。"

"一帮傻瓜。"班特里太太说。接着她又问:"昨天你去内勒家了吗?"

"我打电话告诉他们我去不了,希望他们原谅。他们非常理解。"

"他们理解,是吗?"班特里太太冷言道。

她在书桌旁坐下,心不在焉地拿起一把园艺剪刀,然后把第二只手套的手指一只一只剪掉。

"你干什么,多利?"

"我心情很坏。"班特里太太说。

她站起来。"阿瑟,晚饭后我们去哪儿坐? 藏书室?"

"这个——呃——我看不好——你说呢? 这里很不错——或者起居室。"

"我觉得。"班特里太太说,"我们应该去藏书室!"

她坦然地看着他。班特里上校挺直腰杆,眼里冒出火花。

他说:

"你说得对,亲爱的。我们去藏书室!"

2

班特里太太懊恼地叹口气,放下电话听筒。她已经拨打过两次,每次的回答都一样:马普尔小姐不在。

班特里太太天生是个急性子，决不服输。在短时间内她连续给牧师住宅、普赖斯·里德利夫人、哈特内尔小姐、韦瑟比小姐拨了电话，最后她拨通了鱼贩子的电话，由于其地理位置的优势，他通常知道村里每个人的去处。

鱼贩子表示抱歉，他说今天早上在村里根本没有看见马普尔小姐。她没有按往常的路线行事。

"这女人会在哪里？"班特里太太不耐烦地大声说。

从背后传来一声咳嗽声。谨慎的洛里默小声说：

"夫人，您是问马普尔小姐吗？我看见她正朝您家走来。"

班特里太太直奔前门，她猛地推开门，上气不接下气地招呼马普尔小姐：

"我正到处找你。你去哪儿了？"她回头瞥了一眼，洛里默已经小心翼翼地走开了。"一切都太糟了！人们开始冷淡阿瑟。他看上去老了好几岁。简，你必须采取行动。你必须采取行动！"

马普尔小姐说：

"多利，你不必着急。"她的声音听起来很特别。

班特里上校出现在书房门口。

"啊，马普尔小姐，早上好。很高兴你来了。我妻子像疯子一样打电话找你。"

"我想我最好还是亲自告诉你这个消息。"马普尔小姐说，她跟着班特里太太走进书房。

"消息？"

"巴兹尔·布莱克由于谋杀鲁比·基恩小姐已经被捕了。"

"巴兹尔·布莱克?"上校喊起来。

"但这不是他干的。"马普尔小姐说。

班特里上校没有注意这句话。他甚至可能都没有听到。

"你的意思是说,他勒死了那个女孩,然后再把她放到了我的藏书室?"

"他把她放进了你的藏书室,"马普尔小姐说,"但是他没有杀她。"

"胡扯!如果是他把她放进我的藏书室,那肯定是他杀的!这两件事是一起的。"

"不一定。他发现她死在他自己的屋里。"

"说得倒像。"上校嘲弄道。"如果你发现一具尸体,怎么办?如果你是个诚实的人,你自然会打电话报警。"

"啊,"马普尔小姐说,"但是,班特里上校,不是每个人都有你那样大的勇气。你属于守旧派。年轻的一代不一样。"

"没有毅力。"上校说,这是他的老生常谈。

马普尔小姐说:"有些人的经历坎坷。我听说过不少关于巴兹尔的事。他做过防空工作,当时他只有十八岁。他冲进一幢燃烧的房子里,把四个孩子一个一个地救了出来。虽然别人对他说不安全,但他还是回头又去救一条狗,结果房子塌了,他被压在了里面。人们把他救了出来,但是他的胸部受到严重挤压,不得不打上石膏,卧床将近一年。之后他又病了很长一段时间。也就是这个时候他开始对设计产生了兴趣。”

“哦!”上校咳嗽了一声,擤了擤鼻子。“我——呃——从不知道这些事。”

“他不谈这些事。”马普尔小姐说。

“呃——对。高尚的品格。这样的年轻人一定比我想象的要多。以前我总认为他逃避战争。这说明我们以后下结论时应该谨慎。”

班特里上校面露愧色。

“但是,虽然如此,”他又义愤填膺——“他为什么要把谋杀的罪名栽在我的头上?”

“我不认为这是他的本意。”马普尔小姐说,“他把这件事更看成是一个——一个玩笑。瞧,他当时醉得很厉害。”

“他喝醉了?”班特里上校说,口气里带着英国人对酗酒者所特有的同情。“哦,那么,不能凭一个人醉酒时的所作所为来判断他。我记得当我在剑桥的时候,我把一样用具放在——好啦,好啦,不说了。为此我挨了一顿倒霉的臭骂。”

他笑出声来,接着严厉地克制住自己。他看着马普尔小姐,目光敏锐犀利。他说:“你认为他不是凶手吗?”

“我肯定他不是。”

“那么你知道是谁?”

马普尔小姐点点头。

班特里太太欣喜若狂,她宛如一个希腊合唱队员对着一个听不见的世界放声说:"她很棒,是不是?"

"凶手是谁?"

马普尔小姐说:

"我正要请你帮忙。我想,如果我们去萨默塞特教堂走一趟就会有一个非常圆满的答案。"

第十七章

1

亨利爵士的表情严肃。

他说：

"我不喜欢这个主意。"

马普尔小姐说："我知道这不属于你所说的正统做法。但是弄清楚这一点十分重要，莎士比亚曾说过'确凿无疑'。我想，如果杰弗逊先生同意——"

"哈珀呢？他参与吗？"

"他知道太多可能不好。不过你或许可以给他一个暗示。监视某些人，跟踪他们。"

亨利爵士慢慢说：

"好，这样才符合案情……"

2

哈珀警监目光犀利地看着亨利·克利瑟林爵士。

"让我们把这点说清楚,先生。你在暗示我?"

亨利爵士说:

"我要告诉你的事情是我的朋友刚刚告诉我的——他说得不确切——他打算明天去拜访戴恩茅斯的一位律师,以便重新立一份遗嘱。"

警监的浓眉紧锁,目光沉着稳定。他说:

"康韦·杰弗逊先生打算把这件事告诉他的女婿和儿媳吗?"

"他打算今晚告诉他俩。"

"我明白了。"

警监用笔杆敲着桌面。

他重复道:"我明白了……"

然后他又一次逼视对方说:

"那么,你们对巴兹尔·布莱克涉嫌这个案子不满意?"

"你满意吗?"

警监的小胡子微微颤动,他问:

"马普尔小姐满意吗?"

两个人相互对视。

哈珀说：

"这件事就交给我了。我会派人去。我向你保证这可不是开玩笑的事。"

亨利爵士说：

"还有一件事。你最好看看这个。"

他打开一张纸，把它从桌面上推了过去。

这一次，警监的镇静荡然无存。他吹了声口哨：

"是这样吗？这使整个情况完全不同了。你们是怎么发现的？"

亨利爵士说："女人永远对婚姻感兴趣。"

警监说："特别是上了年纪的单身女人。"

3

当他的朋友进来时，康韦·杰弗逊抬起头。

他沉重的表情变成了微笑。

他说：

"喏，我对他们说了。他们表现很好。"

"你怎么说的？"

"我对他们说，既然鲁比已经死了，我觉得应该把最初留给她的五万英镑用于纪念她的事情上。我准备把它捐给伦敦一家专为年轻职业女舞蹈演员服务的青年旅社。愚蠢的留钱方式——他们竟然没有反对，这让我吃惊。好像他们知道我会这样做似的!"

他沉思地说:

"你知道,我在那个女孩身上愚弄了自己,变成了一个愚蠢的老头。现在我明白了。她是个漂亮的女孩——但是我对她的大多数看法都是我自己人为加上去的。我假设她是罗莎蒙德。你知道,同样的外貌,但是心或思想不同。把那张报纸递给我——上面有一道很有意思的桥牌题目。"

4

亨利爵士下了楼。他向行李员问了个问题。

"您是问加斯克尔先生吗?他刚开车走了。去伦敦。"

"哦!是这样。杰弗逊夫人在吗?"

"先生,杰弗逊夫人刚上床休息。"

亨利爵士朝大厅继而又朝舞厅望去。大厅里,雨果·麦克莱恩正在填一道字谜游戏,看来很不容易。舞厅里,乔西正在和一位矮胖、汗淋淋的男人跳舞,只见她勇敢地看着对方的脸微笑,同时脚下灵活地躲避对方毁灭性的踩踏。那胖男人显然跳得很开心。优雅且疲倦的雷蒙德在和一位看上去患有贫血症的女孩跳舞,那女孩的褐色头发没有一丝的光彩,穿着一件昂贵但非常不合身的衣服。

亨利爵士呢喃：

"好吧，上床休息。"说完他朝楼上走去。

5

三点钟。风停了，月光照在平静的海面。

康韦·杰弗逊半枕在枕头上，房间里只有他本人沉重的呼吸声。

没有一丝微风侵扰窗帘，可是窗帘却动了……瞬间被分开了，月光下出现了一个人的轮廓，然后窗帘又合上了。一切又恢复了平静，可是房间里多了一个人。

潜入者一步一步悄悄地向床边靠近。从枕头上传来的深沉呼吸声并没有停止。

没有声音，或者几乎没有任何声音。一个手指和拇指对准了皮肤一处，另一只手的皮下注射器已准备就绪。

突然，黑暗中一只手抓住了拿注射器的那只手，另一只手如铁腕般紧紧抓住了那个潜入者。

一个没有感情的声音——那是法律的声音在说：

"住手，不许这样做。把注射器给我！"

灯亮了，康韦·杰弗逊躺在枕头上冷冷地看着杀害鲁比·基恩的凶手。

第十八章

1

亨利·克利瑟林爵士说：

"马普尔小姐，作为一个普通人我想知道您用的是什么方法。"

哈珀警监说：

"我想知道首先是什么引起了你对此事的注意。"

梅尔切特上校说：

"啊！这次你又成功了。我想知道这件事的前前后后。"

马普尔小姐抚平她那件最好的紫褐色丝绸晚礼服。她双颊绯红，微微而笑，看上去极为羞涩。

她说："恐怕你们会认为我的方法，如亨利爵士所说，非常不专业。问题在于大多数人——我不排除警察——对这个邪恶的世界太信任了。他们相信别人说的话。我从不这样。我恐怕总想亲自验证每件事。"

"这是科学的态度。"亨利爵士说。

"在这个案子中，"马普尔小姐继续说，"一开始就有些事情被认为是理所当然的——而不是依据事实。我观察到的事实是，受害人非常年轻，而且她有咬指甲的习惯，牙齿有点向外突出——年轻的女孩如不及时用牙套矫正后果经常是这样（小孩们很淘气，他们趁大人不注意时就把牙套取下来）。

"不过刚才说的离题了。我刚才说到哪儿？哦，对，我看着那个已经死了的女孩，心里很难过。眼看一个年轻的生命中途夭折总是令人伤心。我想无论凶手是谁，一定是一个非常邪恶的人。当然，她在班特里上校的藏书室里被发现这一事实让人百思不得其解，太像书里的描绘，令人难以置信。实际上，整件事都弄错了。要知道，凶手最初的计划不是这样，因此也迷惑了我们。凶手的真正意图是想栽赃可怜的小巴兹尔·布莱克（一个更具犯罪可能性的人），而他却把尸体搬到了上校的藏书室，耽误了事情的进展，对此真正的凶手一定非常恼火。

"本来布莱克先生会成为警方的第一个怀疑对象。按凶手的想法推断，警方会在戴恩茅斯进行调查，发现他认识那个女孩，并且还和另外一个女孩关系密切，他们会认为鲁比去勒索他，或类似的事，而他一气之下勒死了她。这只会是一起普通的、卑鄙的，我称之为夜总会类型的犯罪！

"当然，一切都出了差错，警方的兴趣很快转移到杰弗逊一家人身上——这使某个人大为光火。

"我刚才说过，我怀疑心很重。我的侄子雷蒙德说

（当然是开玩笑，而且非常友善）我的心像个污水坑。他说大多数维多利亚女王时代的人都这样。而我只能说维多利亚女王时代的人对人性懂得太多。

"如我所说，存有这么不健康的——或者说是健康的——心理，我立刻从钱的角度看这件事。有两个人肯定会从这女孩的死中受益——这一点不能忽视。五万英镑是不小的一笔钱——特别是对陷入经济困境的人来讲，而他们两个人正是如此。当然，他们两个似乎都是非常善良而且讨人喜欢的人——他们不像是干那种坏事的人——不过谁也说不准，是不是？

"比如杰弗逊夫人——每个人都喜欢她。但是那个夏天她的确变得非常躁动，厌倦了完全依靠公公的生活。因为医生告诉过她，所以她知道他活不了多久——说得冷酷点——这样她还可以忍受下去——或者说如果鲁比·基恩没有来的话，她也可以坚持下去。杰弗逊夫人非常爱她的儿子。有些女人的想法非常奇怪，认为由于儿女的原因所犯的罪在道德上几乎是可以接受的。我在乡下就碰到过这样的人。她们说：'好啦，您瞧，小姐，这全都是为了戴西。'她们似乎认为这可以使可疑的行为变得无关紧要。这是非常不严肃的想法。

"当然，如果允许我用一个体育名词来形容，马克·加斯克尔先生是个更具成功可能性的赛跑选手。他是个赌棍，我想他没有很高的道德标准。但是出于某些原因，我觉得这个案子牵涉到一个女人。

"我说过我要寻找动机，而钱似乎非常有启发意义。

根据医学证据，鲁比·基恩死时这两个人都不在犯罪现场，这着实让人恼火。

"但是不久以后，在一辆被烧毁的汽车里发现了帕梅拉·里夫斯的尸体，整件事也就昭然若揭。不在犯罪现场的证据不能说明问题。

"现在我掌握了这个案子的两个方面，而且两者皆令人信服，然而却无法把它们联系起来。一定有某种联系，但是我找不到。我知道的惟一犯罪嫌疑人没有动机。

"我真傻，"马普尔小姐若有所思地说，"要不是黛娜·李，我根本不会想到——其实这是世界上最明白无误的事。萨默塞特教堂！结婚！这不只是加斯克尔先生或杰弗逊夫人的问题——结婚意味着更多的可能性。如果他们其中一个结婚了，甚或可能会结婚，那么也要把婚约的另一方考虑进去。比如说，雷蒙德或许认为他很有可能娶一个富有的女人为妻。他对杰弗逊夫人非常殷勤，而且我认为正是他的魅力把她从长期的守寡状态中唤醒。她一直只满足于做杰弗逊先生的女儿——就像鲁思和内奥米——只不过，如果你们记得，内奥米费尽心机为鲁思安排了一桩合适的婚姻。

"除了雷蒙德，还有麦克莱恩先生。杰弗逊夫人很喜欢他，而且似乎很有可能最终会嫁给他。他不富有——而且出事的那天晚上他距戴恩茅斯不远。好像每个人都有作案的可能，是不是？当然，我心里很明白。我们不能忽视那些被咬过的指甲。"

"指甲？"亨利爵士说，"可是她扯劈了一只，然后把其余的剪掉了。"

"根本没有的事,"马普尔小姐说,"咬过的指甲和剪短的指甲完全不一样!只要稍稍懂点女孩指甲的人都不会弄错——咬过的指甲很难看,我总是在课上这样对那些女孩说。要知道,那些指甲就是事实。它们说明了一个问题,那就是班特里上校藏书室里的尸体根本就不是鲁比·基恩。

"这立刻使我联想到那个与此有关的人。乔西!乔西辨认了尸体。她当时就知道,她一定知道那不是鲁比·基恩的尸体。可她说是。她不明白,完全不明白为什么尸体会在那里。实际上她泄露了秘密。为什么?因为她最清楚尸体本应该在哪里!在巴兹尔·布莱克的小屋。是谁把我们的注意力引向巴兹尔?是乔西,她对雷蒙德说鲁比或许和那个拍电影的家伙在一起。这之前,她偷偷往鲁比的手袋里塞了一张巴兹尔的快照。谁会那么憎恨这女孩,甚至于看见她死了都掩藏不住?乔西!乔西,精明、实际、冷酷无情,一心只为钱。

"我刚才说的太容易相信人就是这个意思。没有人对乔西指认鲁比·基恩尸体的说法表示怀疑,原因很简单,因为当时她似乎没有撒谎的动机。动机总是个难题——很明显这件事和乔西有关,但鲁比的死无论怎样都好像和她的利益完全相反。直到黛娜·李提起萨默塞特教堂,我才找到那个联系。

"婚姻!乔西和马克·加斯克尔实际上已经结婚了——那么一切就一目了然。现在我们已经知道,马克和乔西一年前就结婚了。他们要保守这个秘密直到杰弗逊先生去世。

"瞧，追踪事情的来龙去脉很有意思——能确实看清楚这个阴谋的具体实施情况。复杂又简单。首先选中了那个可怜的孩子帕梅拉，从电影的角度接近她。试镜头——那可怜的孩子肯定无法拒绝，至少在马克·加斯克尔那张花言巧语的嘴下难以拒绝。帕梅拉来到饭店，此时加斯克尔正在等她，他把她从边门带进去，介绍给乔西——他们中的一个化妆师！可怜的孩子，一想起来就让我难受不已！她坐在乔西的盥洗室，让她给她的头发染色，给脸上化妆，手指甲和脚指甲都涂上油。在这个过程中，她被施了药物。很可能是放在冰淇淋苏打水里。她陷入了昏迷状态。我猜想他们把她放到了对面的一间空房间里——还记得吗？这些房间每星期只打扫一次。

"晚饭后，马克·加斯克尔开自己的车出去转了一圈——他说去了滨海区。实际上他是载着身穿鲁比旧衣裙的帕梅拉的'尸体'前往巴兹尔的小屋，并把'尸体'安顿在炉前地毯上。当他用裙带勒她时，她还昏迷着，但没有死……太惨了——我祈祷当时她对这些没有任何感觉。真的，一想到吊死加斯克尔就让人高兴……当时一定是刚过十点钟。然后他以最快的速度驱车返回饭店，重新加入到休息厅里的那群人中，当时鲁比·基恩还活着，正在和雷蒙德跳她的表演舞。

"我想乔西事先已经告诉了鲁比要做的事。鲁比已经习惯对乔西言听计从。她被告知要去乔西的房间换装,并在那里等着。她也被施了药物,药可能被放在晚饭后喝的咖啡里。你们还记得吗?她和小巴特利特谈话时止不住打哈欠。

"乔西后来上楼去'找她'——除了乔西本人,没有别人进过乔西的房间。她可能是在那个时候将鲁比处理掉的——也许用针注射,或者敲击后脑。她走下楼,同雷蒙德一起跳舞,然后和杰弗逊一家争论鲁比可能去的地方,最后上床睡觉。凌晨时分,她给鲁比穿上帕梅拉的衣服,从侧面楼梯把尸体搬下——她是个肌肉很强健的年轻女人——她打开乔治·巴特利特的车,驱车两英里到了采石场,往车上浇上汽油,点着了火。然后步行回到饭店,可能掐算好了时间在八九点钟回到饭店——人们以为她为鲁比的事着急早早就起床了呢!"

"这阴谋错综复杂。"梅尔切特上校说。

"不比舞步更复杂。"马普尔小姐说。

"大概是吧。"

"她想得很周到。"马普尔小姐说,"她甚至事先考虑到了指甲的差异。所以她设法用她的披巾弄折了鲁比的一个指甲,借以说明鲁比剪短了她的指甲。"

哈珀说:"是的,她考虑周全。马普尔小姐,你真正的证据只是一个女学生啃过的指甲。"

"不止这个。"马普尔小姐说,"有些人太爱讲话。马克·加斯克尔的话太多。他谈到鲁比时说'她的牙齿七高八低。'但是,班特里上校藏书室里的女尸的牙齿往外突出。"

康韦·杰弗逊表情非常严肃地说：

"马普尔小姐，最后那戏剧性的一幕是你导演的吗？"

马普尔小姐承认："确实是我的主意。把事情弄明白不是很好吗？"

"太对了。"康韦·杰弗逊厉声说。

"瞧，"马普尔小姐说，"一旦马克和乔西知道您打算重新立遗嘱，他们一定会采取行动。他们为钱已经杀了两人，所以再杀一人未尝不可。当然，马克绝对不能沾边，所以他去了伦敦，在一家饭店和朋友聚餐，接着又去夜总会，以建立不在犯罪现场的证据。乔西负责去干杀人的勾当。他们还想把鲁比的死算在巴兹尔的账上，所以杰弗逊先生的死应该是心脏衰竭所致。警监告诉我说注射器里有洋地黄苷。任何医生都会认为在这种情况下心脏病突发致死是很自然的事。乔西已经松动了阳台上的一块圆石，她准备事后把它推下去。人们会认为杰弗逊先生的死是由于受到了声音的惊吓所致。"

梅尔切特说："诡计多端的妖魔。"

亨利爵士说："那么，你以前说的第三个死亡是指康韦·杰弗逊？"

马普尔小姐摇摇头。

"哦，不——我指的是巴兹尔·布莱克。要是他们能够做到，早就把他绞死了。"

"或者关在布罗德穆尔。"亨利爵士说。

康韦·杰弗逊咕哝：

"我一直都认为罗莎蒙德嫁给了一个无赖,尽量不去承认它。她非常喜欢他。喜欢一个杀人犯!好啦,他和那个女人都会被绞死。我很高兴他完蛋了。"

马普尔小姐说:

"乔西个性一直很强。这件事从头到尾都是她的计划。具有讽刺意味的是鲁比是她本人叫来的,她做梦也没有想到杰弗逊先生会喜欢上鲁比而毁灭了她的前景。"

杰弗逊说:

"可怜的小姑娘。可怜的小鲁比……"

这时阿德莱德·杰弗逊和雨果·麦克莱恩走了进来。阿德莱德今晚看上去很美丽。她走近康韦·杰弗逊,一只手放在他的肩上,说话时声音有点哽塞:

"我想告诉你一件事,杰弗。现在就告诉你。我准备和雨果结婚。"

康韦·杰弗逊抬头看了她一会儿,然后粗声粗气地说:

"是你再婚的时候了。恭喜你俩。顺便说一句,艾迪,明天我要重新立一份遗嘱。"

她点点头。"哦,是的,我知道。"

杰弗逊说:

"不,你不知道。我准备给你留一万英镑,其余的我死后都留给彼得。你看怎么样,我的姑娘?"

"哦,杰弗!"她脱口而出,"你太好了!"

"彼得是个好孩子。我愿意常常看到他——在我有生之年。"

"哦,你会的!"

"彼得对犯罪有了很深的感受。"康韦·杰弗逊沉思地说,"他不仅有那个被谋杀的女孩的指甲——不管怎样是其中一个被谋杀的女孩——还幸运地弄到一点儿挂住那个指甲的披巾,所以他还有女杀人犯的纪念品!这让他非常高兴!"

2

雨果和阿德莱德从舞厅旁经过。雷蒙德走向前。

阿德莱德匆匆说:

"告诉你一个消息。我们就要结婚了。"

雷蒙德脸上的微笑无可挑剔——那是一种勇敢、深沉的微笑。他没理会雨果,只是直视着阿德莱德的眼睛说:

"我祝愿你今后非常、非常幸福……"

他们走了,雷蒙德站在那里看着他们远去的背影。

"一个好女人,"他自言自语,"一个非常好的女人。而且她还会有钱。我费尽心机研究的那点有关德文郡斯塔尔家族的事……哦,算了,我的运气没了。跳舞吧,跳舞吧,不起眼的小人物!"

雷蒙德走出了舞厅。